ONYSOS LE FURIEUX

suivi de

LE TIGRE BLEU DE L'EUPHRATE

Onysos le furieux
© ACTES SUD, 2000
Le Tigre bleu de l'Euphrate
© ACTES SUD, 2002
ISBN 978-2-330-03941-7

LAURENT GAUDÉ

ONYSOS
LE FURIEUX

SUIVI DE

LE TIGRE BLEU
DE L'EUPHRATE

BABEL

PRÉFACE

Onysos le furieux est, pour moi, un texte inaugural. Je l'ai écrit en 1996, à l'âge de vingt-quatre ans, et j'ai senti qu'avec ce texte, j'entrais vraiment en écriture. Je l'ai écrit en dix jours, d'une traite, avec une énergie à la fois enragée et joyeuse. Pour la première fois de ma vie, je ressentais le plaisir de l'écriture, sa tension, sa fièvre. *Le Tigre bleu de l'Euphrate* appartient aussi à cette jeunesse. Commencé très peu de temps après *Onysos le furieux*, puis laissé de côté quelques années, je ne l'ai repris qu'en 2001, lorsque j'ai commencé à travailler sur ce qui deviendrait *La Mort du roi Tsongor*.

Aujourd'hui, vingt ans plus tard, je me rends compte à quel point ces deux textes contenaient déjà bon nombre des thèmes que je n'ai pas cessé d'explorer par la suite. C'est comme si avec ces monologues, j'avais dessiné les contours d'un territoire imaginaire et que depuis, je ne faisais que l'arpenter pour en découvrir toute l'étendue.

À certains égards, *Onysos le furieux* et *Le Tigre bleu de l'Euphrate* sont deux textes opposés. Dans

Onysos le furieux, le personnage est immensément vieux et parler le fait rajeunir. Dans *Le Tigre bleu de l'Euphrate*, il n'a que trente-trois ans, mais il s'épuise à se raconter une dernière fois avant la mort. D'un côté, une renaissance, de l'autre une agonie. D'un côté, une parole adressée à un camarade, de l'autre une parole lancée comme un défi à l'ennemi.

Mais ce sont surtout, pour moi, des textes frères. Parce qu'ils ont un socle commun. Dans les deux cas, le lecteur est face à un personnage chez qui les contraires se mêlent. Dionysos est à la fois le dieu de la violence, du dérèglement, mais il est aussi celui du plaisir et de la compassion. Il est féminin et masculin, dieu et homme. De même, Alexandre le Grand est à la fois jeune et vieux, érudit et violent, séduisant et effrayant. Tout se mêle en eux.

Et puis surtout, j'ai travaillé ces deux textes avec le même regard, la même méthode. Pour approcher la matière historique d'Alexandre le Grand ou celle mythologique de Dionysos, je n'ai pas essayé d'être exhaustif, ni même fidèle. Je voulais m'approprier cette réalité sans être dans la révérence face à l'Histoire ou au mythe. Tordre le réel s'il le faut, inventer, piller, transformer si la fiction le nécessite, se laisser traverser par l'antique, faire résonner la vieille voix éraillée du tragique, la pulsion du vivant, le muscle et la sueur face aux larmes et à la défaite, c'est cela qui m'intéresse. Tout est là, déjà, dans *Onysos le furieux* et *Le Tigre bleu de l'Euphrate*. Mon rapport à l'Antiquité ou à l'Histoire n'a pas changé. Je n'ai jamais eu l'intention d'écrire des textes historiques.

Je ne me penche pas sur l'antiquité avec des yeux d'archéologue ou d'historien. C'est une matière vivante pour moi. Il ne s'agit pas d'un espace révolu, mort, d'un champ d'étude, mais d'un espace mythologique et fantasmagorique par lequel on doit se laisser traverser. Ce qui m'intéresse, c'est le jeu d'écho avec le monde dans lequel nous vivons. Faire entendre les écarts, les ressemblances, ce qui, dans l'homme, est immanent et ce qui s'est perdu. L'Antiquité, c'est le lieu de l'épopée et du tragique mais c'est un lieu que nous habitons, parce que nous sommes antiques.

Je suis heureux que ces deux textes soient republiés aujourd'hui et réunis en un même livre parce qu'ils esquissent la forme littéraire qui m'intéresse, dans laquelle je me sens bien et que j'ai envie de continuer à explorer, livre après livre. C'est un espace bâtard, le lieu d'intersection entre l'épique, le dramatique et le lyrique. J'ai écrit ces deux textes pour le théâtre et je ne reviens pas sur ce désir : ils sont faits pour la scène, pour être incarnés, joués. Mais en même temps, ce sont deux monologues, c'est-à-dire deux longs récits à la première personne du singulier, pas si éloignés, en ce sens, de certaines des nouvelles que j'ai pu écrire. Et la forme dans laquelle ils sont écrits, les vers libres, les rapproche de la poésie. Dès lors, on les définira comme on voudra : monologues théâtraux, poèmes épiques, récits lyriques, ils sont, je l'espère, tout cela à la fois. Au point d'intersection entre roman, théâtre et poésie.

Au fond, sur ce chemin d'écriture qui se dessine année après année, je ne cesse d'interroger le mariage paradoxal de l'écrit et de l'oral. Comment mettre du récit dans le théâtre ? Ou inversement, comment mettre de l'oralité dans les romans ? On le sait : l'écrit a tué la culture orale. Son avènement a marqué la disparition des aèdes, des conteurs. Et pourtant, il y a ce rêve pour l'écrivain que je suis de pouvoir donner au texte écrit un peu de la force, de l'énergie que possède seule l'oralité. Que les mots soient publiés, imprimés sur du papier, certes, lus dans le silence, oui, mais qu'ils vibrent de cette tension qui a à voir avec la présence et la dépense du corps.

J'écris pour la voix. Tout le temps. Qu'il s'agisse de romans, de nouvelles, de pièces, j'écris pour la voix haute, pour que mes mots soient dits, proférés et écoutés par une assemblée. Parce que je pense que la façon qu'ont alors les mots de se déployer, de prendre vie est unique et que ces moments créent un sentiment de partage intense, généreux et gratuit que je n'ai rencontré nulle part ailleurs. J'espère que les voix d'Onysos et d'Alexandre continueront à habiter les plateaux de théâtre, mais s'il pouvait se faire qu'elles résonnent également dans l'esprit du lecteur silencieux, alors c'est que j'aurai amené le lecteur à se faire lui-même théâtre.

L. G.,
février 2015.

ONYSOS LE FURIEUX

à Alexandra,
à Hubert Gignoux

ONYSOS LE FURIEUX
de Laurent Gaudé
a été créée le 13 juin 2000
au Théâtre national de Strasbourg

Mise en scène : Yannis Kokkos
Scénographie : Muriel Trembleau
Lumières : Patrice Trottier
Son : Pablo Bergel

Avec
Jean-Yves Dubois
(sociétaire de la Comédie-Française)

Production : Théâtre national de Strasbourg

Tu n'as pas besoin de prétexte pour venir t'asseoir à côté de moi, ces sièges sont publics et personne ne peut prétendre avoir réservé cette place que tu convoites

Alors ne te casse pas la tête à formuler une fausse question, et ne me demande l'heure ou une cigarette que si vraiment tu as besoin de savoir l'heure qu'il est ou de fumer.

Assieds-toi.

Tu te demandes ce que je fais là, sur le quai de ce métro.

Les rames passent et je ne monte dans aucune.

Toutes les quatre ou cinq minutes, des centaines de personnes descendent de ces wagons et je n'en hèle aucune, je ne cherche personne des yeux

Et tu le sais puisque tu me regardes depuis longtemps.

Mon visage est noir,

Je suis sale et ridé.

Mes lèvres sont sèches, si sèches que si je riais tout d'un coup aux éclats, elles se fissureraient et du sang probablement en jaillirait.

Tu te demandes ce que j'attends, ce que je suis.

Laisse-moi à mon tour regarder de près, en prenant tout mon temps, ce que peut être le visage d'un homme aujourd'hui.

N'aie pas peur,

Je ne suis qu'un vieillard.

Mes yeux sont fragiles d'avoir trop longtemps scruté l'obscurité, et cette étrange lumière bleue de néon qui clignote me brûle l'iris.

Laisse-moi te contempler que je voie si l'homme a changé.

Il n'y a plus de boue

Et tu es pâle,

Si pâle que je penserais pouvoir enfoncer mon doigt dans ta joue et en percer la surface.

Est-ce que cette lumière électrique ne tanne pas la peau comme le soleil?

Maintenant tu t'inquiètes et tu te demandes ce que peut bien vouloir le vieux… je sais… je sais… ne me regarde pas ainsi.

Tu voudrais poser une question, peut-être plusieurs, mais tu ne peux pas.

Est-ce que mon visage et ma voix te font peur?

La vieillesse de ma peau te répugne-t-elle?

Ne t'inquiète pas, je rajeunirai.

Laisse passer tous ces gens,

Laisse.

Aucun ne fait attention à nous.

Tu te demandes ce que je suis et pourquoi cette voix que tu écoutes depuis quelques minutes et qui, au premier abord, était rêche et criarde, te charme maintenant d'une douceur que tu ne t'expliques pas.

Ne t'inquiète pas, camarade, je vais tout te raconter.

J'ai enfin trouvé la cité dont je suis.

Je suis né d'abord, j'ai erré à la recherche d'un endroit à ma taille, et je ne l'ai trouvé que maintenant, très longtemps après, à l'instant presque de mourir.

Mais maintenant je sais, et je peux dire que je suis né pour New York.

Je vais tout te raconter, camarade.

Et écoute bien car sous ce faisceau de lumière bleutée, tu vas entendre l'histoire d'Onysos le furieux.

Et oublie ces grappes d'hommes et de femmes qui se déversent sur le quai, ces hordes de noyés ne nous dérangeront pas.

Onysos va parler.

Ne vois-tu pas, déjà, comme j'ai rajeuni et combien mon visage compte moins de rides.

Je sens mon corps qui se réchauffe, mes muscles sont plus fermes,

Si je me dénudais, tu verrais que mon corps n'est plus celui d'un vieillard.

Je pourrais presque déjà te terrasser à la lutte.

Mais laisse-moi d'abord te parler et ne m'interromps pas si mes mots viennent lentement, car je n'ai pas parlé depuis si longtemps que mes lèvres sont ankylosées de ces milliers d'années de silence.

CHANT I

Il m'est difficile de me souvenir de ma terre natale
Parce que nous sommes ici dans une ville de lumières où les trottoirs bitumés sont jonchés d'or-
dures, de canettes de bière et de papiers sales,
Où les hommes se pressent par milliers, où les voitures du matin au soir rugissent pare-chocs contre
pare-chocs dans des crissements de pneus impuis-
sants
Alors que là-bas, il n'y avait qu'une poignée
d'hommes et de femmes.
Il m'est difficile de me souvenir de ce village parce
que le temps a passé.
J'ai fait un somme de plusieurs siècles, un cligne-
ment de paupières, à peine, et New York est née.
Tous ces grands tournesols de verre sont sortis de terre
et ils ont plongé mon village au fin fond de l'histoire.

Je suis né à Tepe Sarab.
Tepe Sarab, camarade, où les hommes vivent dans des
huttes de terre séchée, pas plus hautes qu'un cheval.
Je suis né en pleine nuit et les hommes du village
ont dû allumer des torches pour aller voir la tête de

ce petit bout de viande rouge qu'Ino avait expulsé hors d'elle en haletant.

Je me souviens de ma visquosité mêlée à sa sueur.

Je me souviens.

Ma mémoire remonte aussi loin et je peux encore parler des petites maisons de Tepe Sarab, enfouies dans les aspérités des monts Zagros.

Je suis celui qui n'est pas né d'une femme.

Certes Ino m'a tenu dans son ventre et elle a poussé pour que je sorte d'entre ses cuisses,

Mais mon père est le maître des dieux et il n'était pas besoin d'une femme pour que je sois projeté dans la poussière des monts Zagros.

De ces premières heures, je garde en moi le souvenir du visage d'Ino, épuisée et livide.

Tepe Sarab,

Un petit village entouré de mulets et de corbeaux.

Quelques chèvres bondissent de rocher en rocher et montent sur des à-pics inaccessibles aux hommes.

Parfois, une d'elles se tord la patte et roule dans le ravin,

Chute d'aigle dans une frayeur ovine.

On la retrouve déchirée par les rochers plusieurs semaines après, cela pue la mort et fait tourner les corbeaux.

Parfois une guerre éclate.

Quatre ou cinq hommes s'arment de pierres et de fourches et vont détruire les cahutes du village le plus proche.

On appelle cela une guerre.

Ino, dans une dernière contraction fiévreuse, m'a expulsé sous les étoiles des monts Zagros.

Il y a eu une grande fête.

En pleine nuit, à Tepe Sarab, on a fait un bûcher.

Les hommes jouent de la musique et les femmes dansent.

Ino et Athamas sont ivres.

La jeune mère s'est remise.

La sueur des contractions a vite séché.

C'était il y a deux heures à peine, mais elle n'y pense déjà plus.

Elle veut jouir et danser et Athamas, le père de chair, veut boire et hurler.

Le grand feu, au milieu du village, illumine les faces d'une lueur de démence.

Le rythme des tambours se mêle aux cris des femmes.

Je vois des corps se cabrer et frémir,

Je vois des femmes hurler de plaisir et des hommes se rouler dans la poussière, et la poussière leur colle à la peau tant ils ont sué.

Un groupe d'hommes est là qui ne danse pas.

Personne ne sait d'où ils sont venus.

On ne les connaît pas ici.

Mais ceux de Tepe Sarab sont trop saouls pour s'inquiéter de cette présence incongrue, en pleine nuit, au fin fond des monts Zagros.

Ils ne dansent pas, ni ne boivent.

Ils ne parlent à personne et aucun d'eux, même, n'a regardé ces corps de femmes onduler de désir.

Peut-être ne sont-ils pas hommes et peut-être ces charmes ne les touchent-ils pas ?

Ils regardent le nouveau-né.

Je les vois à quelques pas de moi.

L'un d'eux se lève et vient me tendre un hochet de bois.

Je dois rire dans mes langes.

Personne ne voit qu'un homme s'est levé et parle au nouveau-né.

On danse.

Magnétisme des tambours.

Ils m'entourent maintenant et ils sont peut-être cinq ou six, je ne sais pas. Ils m'entourent et je comprends dans mon infinie petitesse qu'ils ne sont pas de Tepe Sarab, qu'ils ne sont pas ici pour danser et boire et que même, peut-être, ce ne sont pas des hommes.

L'un d'eux a sorti un couteau de berger.

Je le vois se pencher sur moi et je sens la lame ouvrir ma gorge.

Mais ce n'est pas fini.

Ils rient maintenant, ils m'ont tué.

Sur les langes qu'Ino avait gentiment disposés autour de mon petit corps, de grandes taches de sang dessinent une violente mappemonde.

Je n'ai pas crié, mais ils ont bien fait de commencer par m'égorger car si j'avais pu par la suite pousser des hurlements de douleur, j'aurais couvert le vacarme des tambours et fait courir le long de l'échine des femmes de longs tremblements de stupeur.

Je sens encore leurs mains saisir les membres de mon corps.

Je ne suis pas plus grand qu'un lapin mais je ne sais pas courir.

Ils me saisissent et tirent chacune de mes extrémités.

La chair se déchire et les os craquent.

Une jambe, un bras, une jambe, un bras.

Je suis un petit bout de chair démembré et sanguinolent.

Mes membres de nourrisson gisent à quelques mètres de mon tronc, dans l'herbe sèche des monts Zagros.

Mais ce n'est pas fini.

Les hommes qui n'étaient pas de Tepe Sarab n'avaient pas dansé, ni mangé ni bu.

Et ils voulaient, le travail accompli, faire la fête à leur tour.

Alors ils ont rassemblé les morceaux de chair, ils les ont fait bouillir dans un chaudron de cuivre.

Ils les ont laissé mijoter et ils ont avalé en riant le ragoût de nouveau-né.

Egorgé, déchiré et démembré, le petit Onysos est né.

Mais les imbéciles, dans leur démence, ont oublié le cœur.

Et à partir du cœur, mon père, parce qu'il est le maître des dieux, parce que lui a entendu les cris que je n'ai pas poussés,

De ses mains d'argile m'a fait naître à nouveau.

Je ne dors pas la nuit.

Si je ferme les yeux, les étoiles de la nuit de Tepe Sarab et les tambours syncopés resurgissent.

Et mes bras, mes jambes, mes articulations et mes muscles me tiraillent et se déchirent à nouveau.

Je ne dors pas la nuit parce que je ne me suis pas encore vengé des hommes.

J'ai quitté à jamais Tepe Sarab.

Je suis nu et je vis comme un fauve, loin des hommes que je crains, dans l'ombre oppressante des montagnes Zagros.

J'ai erré de Béhistoun à Hamadhan, j'ai erré jusqu'à Tepe Giyan, prenant en haine ces villages où l'on danse.

La nuit est ma fureur.

Personne encore ne tremble à l'évocation de mon nom mais c'est parce que personne, encore, ne m'a donné de nom.

Je suis le loup, le lion, l'ours et le chacal.

Je m'essaie à chaque rugissement.

Des griffes me poussent au bout des doigts, mes cheveux sont en bataille.

J'apprends à courir, pour que plus jamais aucun homme ne puisse me saisir.

J'apprends à courir la nuit entre Hamadhan et Tepe Giyan, et mes chevilles ne se tordent jamais, dans aucune des anfractuosités de la roche.

Je vais plus loin que la plus farouche des chèvres.

Je dévale les pentes de rocailles dans la nuit la plus sombre, sans jamais tomber, sans jamais trébucher.

Je suis nu.

Les fougères que je traverse en trombe m'excitent la peau de milliers de petites incisions,

Mais ces griffures n'entament pas mes forces ni ne ralentissent ma course.

J'apprends à être furieux et insaisissable.

Désormais je m'appelle Onysos et c'est ce nom que j'imposerai aux hommes.

Je suis le lion chevelu des monts Zagros.

Je suis né, mort né.

Seul au milieu des fougères et des pierres, je prends des forces pour mes combats à venir.

Seul dans la nuit mésopotamienne, je pousse mes premiers hurlements de jaguar qui font fuir les animaux et trembler les lèvres des femmes.

CHANT II

J'ai longtemps pensé à ma vengeance
Et à ces hommes qui n'étaient pas de Tepe Sarab et
qui étaient venus, ce soir de fête, pour démembrer
le nouveau-né.
J'ai longtemps voulu poser des collets dans les
collines pour voir si l'un d'eux se laisserait attra-
per,
Mais il est probable qu'aucun n'est jamais revenu
à Tepe Sarab ni dans les monts Zagros.
Et je ne veux pas perdre mon temps.
J'ai longtemps couru dans les montagnes et laissé
monter en moi le magnétisme des fauves, jusqu'à
me sentir fort et sulfureux.
Et j'ai su, alors, d'un savoir instinctif que ce sont
les femmes qu'envoûterait ma voix, que ce sont les
femmes qui connaîtraient ma frénésie d'aliéné.
Lorsque je me suis senti prêt, j'ai commencé à rôder
autour des villages, comme le font les chacals.
J'ai hanté les faubourgs, la nuit
Et les villageois ont eu à s'habituer à ma présence.
Ils ont commencé à parler de moi, certains m'avaient
aperçu, un soir, furtivement.
Les récits se sont construits.

Ils se sont demandés qui était cet homme à moitié nu qui venait les provoquer la nuit jusqu'aux frontières de leur village, et si c'était un homme ou autre chose.

Bête ou esprit.

Personne n'a songé au petit nourrisson écartelé.

Lorsque j'ai senti que ma présence s'imposait à eux, malgré eux, je me suis approché encore un petit peu,

Jusqu'à parcourir les rues et frôler les fenêtres de leurs abris

Et j'ai poussé mes premiers hurlements,

Longs et douloureux,

Comme une femme qui accouche ou un animal qui meurt de faim.

Et les cris les ont fait frémir.

Les mères ont rappelé à elles leurs enfants tout tremblants pour les serrer contre leur ventre.

Les hommes ont verrouillé les portes et ils auraient regardé par la fenêtre si leurs femmes, dans un élan de peur, ne les en avaient empêchés.

Chaque nuit je revenais.

Chaque nuit, maintenant, je descends de mon refuge de bête sauvage, j'envahis les petites rues de leur village de misère et je hurle à la mort.

Il m'a suffi de quelques nuits.

Les femmes ont senti naître en elles, au fond du ventre, dans les entrailles de leur corps, une chaleur incandescente.

Cela ressemblait à la chaleur du vagin mais cette brûlure nouvelle ne connaissait pas d'apaisement.

Les femmes, je les tiens éveillées toute la nuit.

Elles ne dorment plus et n'appellent plus à elles leurs enfants peureux.

Tout contact avec un être de chair leur est maintenant insupportable.

Elles tremblent et roulent des yeux de feu.

Je continue.

Elles sortent maintenant car l'appel est trop fort.

Elles se lèvent dans la nuit, à l'insu de leur famille et déverrouillent les portes.

Elles sortent.

Je les emmène.

Nous montons le long des petits sentiers de rocaille encombrés de fougères et la montagne se peuple de nos présences farouches.

Tout le long de la montée, elles arrachent leurs vêtements, parce que le tissu leur brûle la peau.

Une horde de furies danse autour de moi.

Je constitue mon armée.

Elles sont nues et se saisissent les cheveux à deux mains.

Tout ébouriffées, tout écarquillées de jouissance, elles dansent et font trembler les roches des monts Zagros.

C'est une musique étrange, oui, et les danses sont violentes.

Les hommes ont peur, ils disent que la bête des montagnes a le pouvoir de rendre folles leurs femmes, Et ils n'ont pas tort.

Comme il fallait manger, j'ai chassé certaines nuits.

Les bêtes que j'ai égorgées, je les ai dépecées et j'ai offert ces lambeaux de chair rouge à la bouche de mes femmes.

Leurs dents étaient baignées de sang et elles riaient de démence.

Femmes de chair
Femmes de foutre.

Elles dansent de tout leur corps,

Leurs déhanchements saccadés ne cessent qu'à l'aube.

Toute la nuit, possédées par le soufre et la sueur, elles tournent sur elles-mêmes, se griffent la peau de jouissance.

Les hommes, là-bas, dans leur baraque de terre, parlent d'orgie

Et ils n'ont pas tort.

J'essaie de les contenter toutes, mais les forces vives s'épuisent parfois et je dois, devant leur appétit, les laisser se caresser de tous leurs doigts de femme et s'enduire les unes les autres de leur foutre rougi par le sang des bêtes dépecées.

Les hommes d'abord se sont révoltés.

Mais ils ne peuvent rien.

Les hommes alors se sont ennuyés.

J'ai laissé cet ennui les subjuguer complètement, les tenir éveillés, les alourdir dans leur journée jusqu'à ce qu'ils n'aient plus le cœur d'aller travailler, jusqu'à ce qu'ils ne chassent plus, ni ne mangent.

Je les tenais par leurs femmes et ne les lâcherai plus.

Au fil des jours, les villages se sont appauvris et tous ces braves bergers sont devenus des crève-la-faim.

Je tenais mon armée.

Une cohorte de va-nu-pieds, prêts à tout, affamés.

Ils sont venus aussi, laissant tout derrière eux, leurs bêtes, leurs couches, leurs champs.

Ils sont venus avec moi dans les montagnes et Onysos a eu son armée.

Un jour, un homme est venu.
Il était habillé de fourrures et portait des armes que
nous ne connaissions pas.
Il a dit qu'il était envoyé par son roi et qu'il vou-
lait me parler.
Son visage était rouillé et son nez aplati.
Il parlait mal, quelques sons gutturaux que personne
ne comprenait sortaient parfois de sa gorge,
Mais nous l'avons écouté
Et nous avons compris qu'il venait nous annoncer
que les Kassites s'étaient soulevés.
Leur roi a décidé qu'il était temps qu'ils marchent
vers l'est et que leur royaume rayonne de mille conquêtes.
Il a fait appeler tous ses hommes, tous ses chevaux.
Il a fait forger des milliers de lances et tailler un arc
pour chacun de ses guerriers.
Il paraît que dans le royaume des Kassites des forêts
entières ont disparu pour construire tous ces arcs.
Ils se sont soulevés et approchent dans une grande
colonne cacophonique où le souffle des hommes se
mêle aux hennissements des chevaux.
Le roi des Kassites a entendu parler de moi et il vient
demander par ce messager si j'accepte de mêler mon
armée de gueux à la sienne.
Il lui manque peut-être encore quelques hommes
ou peut-être pense-t-il qu'il est préférable de faire
de moi son allié.

Je ne sais pas.

Il veut prendre Babylone.

Il veut porter la tunique d'or de Nabuchodonosor.

Je dis à l'homme en fourrure que nous serons de la bataille et je dis à mes camarades que nous allons descendre des monts Zagros et nous ruer dans la plaine du pays des Deux-Fleuves comme une coulée de lave vivante.

Je leur dis que les Kassites ne sont rien et que nous pourrions gagner cette guerre seuls s'il le fallait, je leur dis que les murs de Babylone vont trembler.

Nous sommes tous descendus, hommes, femmes et enfants, tous, avec des armes de fortune, avec la rage qui brûle les gencives, nous avons marché sur Tepe Moussian, la première ville du pays des Deux-Fleuves.

Nous sommes descendus de nuit, sans torche ni armure, avec nos habits de gueux en poussant des cris de bêtes,

Et nous avons pris Tepe Moussian.

Je me suis travesti pour l'occasion,

Pour que l'on ne me prenne pas pour un de ces grands conquérants superbes.

J'ai peigné mes cheveux comme le font les femmes et j'ai mis sur mon visage les couleurs qu'elles mettent pour charmer les mâles.

J'ai le visage fin, les traits efféminés, on dirait une vraie putain.

Je conduis mon armée de va-nu-pieds, fier comme une prêtresse en rut, sur mon âne.

Je suis le seul à posséder une monture, les autres vont à pied.

Je suis belle, mais je tue sans frémir.

J'ai ordonné que l'on brûle Tepe Moussian, je sais que le roi des Kassites ne sera pas content mais je m'en moque.

Je veux que tout le monde voie cette torche dans la nuit, je veux que les guetteurs de Babylone réveillent leur roi bouffon et lui annoncent avec la voix qui tremble que Tepe Moussian brûle.

Je veux que Nabuchodonosor sache qu'Onysos est descendu de ses montagnes et qu'il va le manger.

Nous marchons sur Babylone.

Chaque nuit nous avançons un peu plus.

Le pays des Deux-Fleuves s'embrase.

Ils m'ont donné un nouveau nom.

A chaque ville que nous brûlons, je l'entends murmurer dans l'effroi : Zagreus, Zagreus…

Babylone dorée,

La grande pute alanguie.

Jardins suspendus

Où les éléphants domestiqués par de sages esclaves caressent les seins des femmes de leurs longues trompes parfumées.

Babylone violée par une bande de déments en guenilles.

La bataille a duré cinq jours et cinq nuits.

La première nuit, nous avons fait voler en éclats le mur d'enceinte extérieure.

La deuxième nuit, nous nous sommes rués contre la porte de Mardouk et la porte de Nirourta, et comme nous n'avions pas de bélier, c'est avec nos fronts que nous heurtions de plein fouet le bois clouté des deux battants têtus.

Bien des têtes se sont fracassées mais le bois s'est finalement fissuré et les portes ont cédé.

La troisième nuit, nous sommes entrés dans la ville.

Les soldats babyloniens avaient reçu l'ordre de se retrancher dans le palais royal.

Ils nous ont abandonné leur ville, avec les boutiques, les femmes, les enfants, les fontaines et les arbres fruitiers, ils s'en sont remis à notre mansuétude,

Mais nous ne connaissons aucune mansuétude.

J'ai mis le feu à chaque maison.

Tout brûlait, tout crépitait.

Les femmes babyloniennes se sont mêlées aux nôtres, elles ont à leur tour ébouriffé leurs cheveux et retroussé leur tunique.

Les hommes, nous les avons égorgés.

La quatrième nuit, nous avons attaqué le palais de Nabuchodonosor et les jardins suspendus

Sur les bords de l'Euphrate.

J'ai lancé toutes mes femmes et tous mes gueux dans la bataille, et j'ai percé les flancs de mon âne pour qu'il aille plus vite qu'une traînée de feu.

Ils nous attendaient du haut de leur muraille de marbre, tous les guerriers babyloniens retranchés,

Et ce fut un cyclone de flèches.

Nous n'étions pas armés mais nous étions innombrables.

Ils ont fait périr des centaines et des centaines des nôtres

Mais sans parvenir à endiguer l'océan.

La cinquième nuit, j'ai déambulé dans les couloirs du palais de Nabuchodonosor,

Seul,

Et j'ai su alors que j'avais vaincu.

Il y avait tant de cadavres, tant de corps, qu'il était impossible de dire qui était babylonien, qui était kassite et qui n'était rien.

J'ai pris Babylone.

Un million de petites incandescences ont réchauffé cette nuit suave, et le feu de la perle de l'Euphrate a dû se voir jusqu'en Grèce et bien au-delà encore.

Mon armée est décimée.

Le roi des Kassites a toujours pris soin de me laisser charger en première ligne.

Il croit avoir gagné, il croit être indomptable et terrifiant, mais il se trompe, car le nom maudit, le nom que les femmes de Mésopotamie désormais prononcent en tremblant, c'est celui de Zagreus et c'est le mien.

Je n'ai plus d'armée mais j'ai gagné ma première bataille.

Onysos s'est essayé à la guerre avec une armée de femmes et de vauriens et Onysos a fait tomber Babylone.

CHANT III

J'ai longtemps détesté les villes,
Babylone a été la première.
Aujourd'hui je regarde New York et je me rends
compte à quel point cette cité me ressemble et à
quel point j'y suis bien.
Dans le quartier chinois, d'étouffantes odeurs sortent
par nappes pesantes des cuisines.
Quatre ou cinq chats se disputent une tête de pois-
son crevé.
Plus loin, au milieu de la rue, des hommes à la peau
brune fument de petites cigarettes.
Ils ont sorti des chaises en bois et se prélassent en
maillot de corps.
De la musique s'échappe d'une voiture garée en
double file.
Ils parlent fort, se signent et lancent des malédictions.
Arméniens, Juifs, Coréens, Cubains, le monde est
là, le monde entier entassé à New York,
Comme à Babylone autrefois.
Même frénésie.
C'est l'opulence et la misère, côte à côte, bouche
à bouche.
Le riche et l'indigent.

Chaînes en or et sans abris.
C'est ma ville, je le comprends maintenant.
Je peux tout faire ici.
Et je comprends en contemplant cette station de métro fangeuse, ces bouis-bouis grouillants et ces grandes avenues d'asphalte, que Babylone était semblable à cette ville et que j'aurais aimé Babylone.
J'aurais dû lancer mon armée contre les Kassites, décapiter le roi et planter sa tête en haut d'une lance dans l'herbe du plus haut des jardins suspendus.
Je serais devenu le héros de Babylone.
Mais j'étais trop jeune encore et il me fallait une ville à brûler.
J'ai réduit à néant Babylone, tapissant le pays des Deux-Fleuves de cendres chaudes.
Je ne ferai pas deux fois la même erreur, je ne détruirai pas New York.
Je vais me faire connaître et j'en serai bientôt le maître, car cette ville est faite à ma dimension,
Elle grouille comme moi.

Tu écoutes mes récits, sans rien dire, en buvant de temps à autre un peu de cette bière que je t'ai offerte,
Tu écoutes et tu dois te dire que je déteste les hommes.
Mais si c'est le cas, laisse-moi te dire que tu te trompes et que me prêter une telle haine est injuste.

Babylone était tombée et rester auprès du roi des Kassites ne m'intéressait pas.

Je ne voulais pas le voir plus longtemps étaler le bonheur satisfait d'une victoire dans laquelle – je le soutiens – il n'était pas pour grand-chose.

J'ai déambulé encore un peu dans les jardins suspendus et le long des immenses couloirs du palais royal.

J'ai regardé tous ces corps de femmes qui étaient mortes dans l'enthousiasme que j'avais provoqué.

Je n'ai pas essayé de les compter.

Mais ces heures que j'ai passées, en silence, à marcher au milieu des miens, étaient une sorte de dernier hommage que je leur rendais.

Puis je suis descendu vers le sud, et à mon départ il me semble avoir entendu un immense soupir de soulagement.

Je ne saurai dire s'il s'agissait du soupir des Kassites, trop heureux de me voir quitter les lieux, ou si c'était la ville qui manifestait son bonheur posthume de voir son bourreau disparaître.

J'ai repris mon âne et j'ai voyagé quatre jours et quatre nuits en direction de Ur.

Une peine immense m'étreignait que je ne distinguais pas et qui me pesait.

Je pensais à Ino.

Mère chérie,

Je n'ai connu ta présence que quelques heures,

Je me souviens à peine des traits de ton visage

Mais le grain de ta voix résonne à jamais dans mon cœur.

Ino,

Ce soir, sans que je sache d'où cela me vient, la certitude de ta mort me fait verser de grosses larmes océanes.

J'ai toujours su que je ne reviendrais pas à Tepe Sarab, et que jamais je ne viendrais frapper à la porte de la maison de terre, mais il restait, malgré tout, l'idée que tu vivais et que parfois, par des nuits semblables à celle où tu m'expulsas hors de toi, tu pleurais pour ton enfant.

Sur la route de Ur, la tristesse qui m'étreint m'annonce que tu es morte.

J'ai chevauché quatre jours et quatre nuits.

C'est dans les faubourgs de Ur que j'ai rencontré Proscumnos.

Je traversais ces rues puantes de boue où s'entassent les voleurs et les gueux, tout ceux que la cité rejette hors d'elle comme un cancer noir,

Je traversais ces rues de gangrène et de fièvre, lentement, car j'aime bien, moi, ces faubourgs hors-la-loi,

Je m'y sens chez moi,

Et c'est plutôt la propreté marbrée des rues pavées de la cité qui me répugne et fait naître en moi de furieux désirs pyromanes.

Un attroupement fiévreux me bloqua subitement la route.

On criait de partout.

La foule se pressait.

Bruit de bagarre et de lynchage.

Jubilation sadique des hommes contre les hommes.

Je me fends un passage dans la tourbe et les brigands,

Un homme est là qui crie et gesticule.

Il fait de grands moulinets de ses bras et vomit d'ignobles injures à la cantonade.

Trois paysans l'encerclent qui veulent le frapper et le faire saigner.

Il est ivre mort.

Pour répondre à leur menace, il se débraguette et veut pisser sur ses assaillants.

Les paysans profitent de cet instant pour le saisir et le rouer de coups.

Je sors un couteau encore tout ensanglanté de mes combats babyloniens et je hurle qu'on laisse le pauvre bougre en paix.

Les trois peureux hésitent, me regardent avec méfiance et finissent par s'incliner.

Ils crachent une dernière fois sur l'ivrogne et s'en vont.

C'est comme cela que j'ai rencontré Proscumnos, ivrogne superbe, voleur furieux et ignoble bonhomme.

Nous nous sommes liés d'amitié.

Il avait été esclave et avait assassiné son maître un soir de beuverie et de haine.

Nous avons quitté Ur le lendemain de notre rencontre.

Sur le chemin, voyant la profonde tristesse qui me tenait toujours, il me questionna sur mon mal.

Je lui ai parlé d'Ino.

Et c'est là que nous avons fait notre pacte.

Proscumnos connaissait le chemin du pays des Morts.

Il m'assura qu'il savait où était l'entrée et comment faire, une fois dans le labyrinthe pour ne pas se perdre.

Nous avons fait un pacte.

Il me livrait son secret et je devais, une fois revenu, lui accorder mes faveurs.

Proscumnos le sodomite me proposa son marché et j'acceptai.

Nous sommes partis de Ur par la porte ouest, et nous avons fait chemin vers l'Arabie, à travers le royaume araméen, à travers le grand désert de sable infatigable.

Je ne me souviens plus combien de temps dura ce voyage.

Nous étions deux petits points têtus, perdus dans le désert.

Un jour, Proscumnos a arrêté sa mule et m'a dit qu'il n'allait pas plus loin, que j'étais arrivé.

Il m'a dit qu'il allait faire son campement ici, que je n'avais qu'à attendre la tombée de la nuit, et marcher jusqu'au-delà de la dune qui projetait sur nous son ombre suave, qu'au-delà était l'entrée.

Il me dit comment je pouvais faire pour pénétrer en Hadès et les voies qu'il fallait emprunter pour ne pas s'y perdre.

Il me dit encore que lui s'arrêtait là, qu'il m'attendait et qu'il ne fallait pas que j'oublie le serment.

J'ai laissé ma mule au campement de Proscumnos, et j'ai marché jusqu'à la grande dune.

Je ne dirai rien de ce que je vis là-bas.

Grottes et souterrains

Emplis d'ombres et de mâchoires.

Pièces immenses pleines de morts entassés depuis tous ces siècles passés,

Et pièces immenses encore vides pour tous les morts à venir.

J'ai retrouvé mes femmes, encore chaudes du sang perdu à Babylone,

J'ai retrouvé Nabuchodonosor mais je n'ai pas pu croiser son regard car il était mort d'une pierre énorme écrasée sur le visage et on ne distinguait plus rien de ses traits, ni le nez, ni les yeux, rien qu'une crevasse de chair et de sang.

J'ai retrouvé Ino mais elle n'a pas pu parler et mes yeux pleuraient tellement que je n'ai pas distingué son visage.

J'ai vu le pays des Morts et ses millions d'alcôves creusées pour les urnes.

J'ai vu tout cela et mes yeux porteront à jamais le voile de ce pays d'ombres et de suaires.

Je suis remonté à la terre, le soleil se levait.

Harassé par cette nuit d'enfer, je me suis traîné jusqu'au campement.

Mais j'ai trouvé Proscumnos tout froid dans sa couche.

Il était mort.

De maladie

De fièvre

Ou de solitude,

Il était mort.

Froid comme une statue de marbre.

Pauvre Proscumnos, mon ami, mon camarade.

Je n'ai pas oublié notre serment et je veux m'acquitter de ma part.

Alors, au milieu de ce désert de sable et de rocaille, j'ai fait pousser un figuier, car cela fait partie de ce qu'il m'a été donné de pouvoir faire à ma guise.

Et lorsque le figuier a été haut et robuste,

J'ai cassé une de ses branches, la plus longue et la plus solide,

Et avec elle, Proscumnos, j'ai rempli ma part de la promesse.

Et le figuier sodomite du désert d'Arabie sera là encore longtemps pour dire que le serment entre Onysos et Proscumnos n'a pas été rompu.

Mais j'étais seul à nouveau.

J'ai laissé le sable recouvrir lentement le corps de mon ami et je suis parti sur mon âne dément,

Vers l'ouest.

Jusqu'à cette mer qui clôt le désert.

Et comme j'avais chaud d'avoir tant voyagé, comme j'avais chaud de n'avoir rien bu pendant tant de jours passés sous le feu du soleil, j'ai abandonné mon âne à sa propre fatigue, et je me suis plongé dans la mer Rouge.

L'eau sur mon corps a lavé les taches de sang séché et les rigoles de sueur, l'eau sur ma peau a étanché la soif de mes muscles et j'ai bu par tous les pores de ma peau.

J'avais tant de sang sur moi, de tant de batailles, que j'ai dû laisser derrière moi un long filet obscur.

CHANT IV

Sur les bords du Nil, je crois, j'ai été heureux.

Aujourd'hui, je repense à cette vie de fuite et de poussière,

A cette vie d'essoufflé que j'ai menée, sans jamais pouvoir m'installer nulle part car partout où j'allais des hommes prenaient les armes pour me combattre et me chasser,

Je repense à cette vie qui ressemble à la longue charge d'un taureau

Et je peux dire que c'est sur les bords du Nil que j'ai connu les instants paisibles et lumineux qui font de la vie d'un homme, parfois, un pari gagné.

Les hommes, à Napata et dans chacune des villes que j'ai traversées par la suite, avaient cessé de me regarder avec la haine du corbeau.

Ils ne se regroupaient pas en milice vociférante, proférant qu'il fallait traquer la bête et ne cesser que lorsqu'elle aurait quitté leur terre et abandonné leurs femmes.

Je me souviens de ce pays de sable et de répit.

J'ai descendu le Nil, suivant chacune de ses boucles, chacun de ses coudes, marquant une encoche sur mon bâton à chaque nouvelle cataracte.

Je me souviens des eaux limoneuses de ce grand fleuve de tourbe jaune.

Connais-tu l'Egypte, camarade ?

Connais-tu Soleb, Kalabchah, Kom-Ombo et Edfou ?

Dans cette ville où nous sommes, toi et moi, aujourd'hui, il n'y a rien qui évoque les couleurs de ce pays,

Rien que je puisse te montrer du doigt en te disant que là-bas les choses sont identiques.

Les voitures grondent sur l'avenue, les immeubles se dressent comme les stèles infinies de la modernité, le visage des hommes est blafard et fatigué, la ville entière est plongée dans une odeur de fumée et de fritures, alors que tout, là-bas, résonne d'un calme souverain que ne vient interrompre que le bruit des feuilles de palmiers qui s'entrechoquent sous le vent du soir.

Les hommes travaillent aussi là-bas, toute la journée et sous un soleil intraitable,

Ils bêchent et retournent la terre, mais tout est teinté de lenteur et de sérénité.

J'ai souhaité que mon voyage égyptien ne cesse jamais

Et que le Nil soit un fleuve infini qui parcourt la terre de mille et une petites courbes,

Qu'aucune vie humaine ne suffise à épuiser cette promenade.

J'ai souhaité que le Nil soit le Léthé d'Orient et que je puisse m'annihiler dans ses eaux plates oubliant mes blessures et mes haines, oubliant mon nom et Babylone.

J'ai souhaité m'immerger tout entier dans le fleuve, de la tête aux pieds et ressortir sur l'autre rive, plus vierge qu'un enfant, sans souvenir et sans entaille.

Kalabchah, Kom-Ombo, Edfou, Tell el-Amarna, je marche sur les rives du Nil, je marche et mes pieds s'enfoncent dans le sable mouillé de soleil.

J'ai passé les cinq cataractes, le tropique du Cancer et les nécropoles de Luqsor.

J'étais seul et je jure que je n'ai rien fait que marcher, saluant peut-être parfois d'un geste humble de la tête ceux que je croisais et qui labouraient, sur le bord de la route, des champs immergés.

Mais je n'ai rien fait et pourtant, après Abydos, je me suis aperçu qu'un nuage de poussière me suivait.

Je me suis retourné et j'ai attendu pour voir s'il s'agissait de l'escorte de quelque pharaon.

Mais c'est une horde silencieuse de femmes empoussiérées que j'ai vue arriver et d'aussi loin qu'elles m'ont reconnu, elles se sont arrêtées à leur tour, n'osant approcher plus avant de leur dieu de chair.

Je les ai aimées, comme j'ai aimé les femmes mortes à Babylone.

Elles étaient mes fidèles, les pieds meurtris par la marche, la gorge sèche et les yeux rougis de soleil.

Elles étaient mes misérables femmes.

Elles avaient abandonné leur village pour suivre cette silhouette chevelue qui était passée sur la route.

Leurs hommes ont crié certainement mais elles n'ont pas répondu.

Leurs enfants ont pleuré certainement mais elles n'ont pas répondu.

Je comprends aujourd'hui, sur les bords du Nil, que je suis Onysos et que cela ne peut s'effacer.

Toutes ces femmes me le rappellent.

Alors, à Abydos, je me suis arrêté.

J'ai fait un énorme feu sur les bords du grand fleuve pharaon et j'ai invité mon armée de princesses en haillons à venir danser et rire.

Les tambours ont résonné, et les pas frappés sur le sol ont fait frémir le Nil de mille petits clapotis.

Chacun de nous brandissait une branche de figuier,

chacun de nous était en feu.

Le sable du désert égyptien a crépité de dizaines de milliers d'étincelles et le son de nos cris gutturaux et bestiaux s'est entendu jusqu'aux bords de la Méditerranée.

L'incendie d'Onysos a repris.

Le long voyage sur les bords du Nil, ces heures passées à arpenter l'Egypte de Napata à Abydos, ont été les seuls instants de ma vie où j'ai pu me soustraire à l'incendie, les seuls instants où je ne fus qu'un homme.

Penthée régnait alors sur Akhetaton.

Il venait à peine d'accéder au trône vermoulu de son père.

Il était jeune et arrogant,

Et le soleil n'était pas une assez grande assiette pour ses beuveries royales.

Il était jeune et encore beau car aucune bataille, à ce jour, ne l'avait meurtri dans sa chair.

Corps imberbe de puceau sacré.

Ses longs cheveux blonds étaient tressés plusieurs fois par jour par des esclaves africaines qui les couvraient de miel et de lait.

Il entendit parler de nos fêtes et de nos orgies car tout Akhetaton résonnait maintenant de mon nom.

Sa curiosité l'enflamma.

Il ne pensa plus qu'à cela.

Beau Penthée aux lèvres douces,

Beau mignon,

Je ferai saigner tes lèvres si tu souris devant moi.

Il prit la décision de participer à l'une de nos cérémonies.

Il fit venir ses servantes et demanda à ce qu'on le travestisse en femme.

Pauvre Penthée ! Tu as voulu être une belle putain, tu as tressé tes cheveux blonds et maquillé tes lèvres, tu as cerné tes yeux de khôl et mis un collier à ton cou, des bracelets à tes poignets, à tes chevilles.

Si tu m'avais demandé, Penthée, avec la déférence qui convient à mon rang, si tu m'avais fait des libations en me suppliant d'assister à nos danses barbares, peut-être aurais-je accepté.

Mais tu as voulu te travestir, et c'est une façon de te moquer de moi.

Je sais ce qu'est une femme, Penthée.

Tu es venu ce soir-là,

A l'endroit où nous avions installé notre feu,

Sur les collines qui surplombent le Nil.

Personne ne troublait cette nuit épaisse

Que le lent cours du fleuve,
Quelques vols de chauves-souris
Et les vibrations sourdes de nos tambours.
Tu es venu et tu t'es mêlé à la horde de mes femmes.
Tu regardais, hébété, ces corps qui ruisselaient, criaient et se touchaient, à la chaleur des torches, de scandaleuses caresses.
Et j'ai bien vu tout de suite, Penthée, qu'il y avait là une femme qui ne dansait pas et ne criait pas, une femme dont les cheveux n'étaient pas ébouriffés, ni les yeux révulsés.
Alors je t'ai regardé scrupuleusement.
Tu n'avais à l'encontre de tes compagnes aucun désir d'étreintes.
Ton corps était tout lisse et immaculé.
J'ai su que tu étais travesti,
J'ai su que tu étais Penthée mais je n'ai rien dit.
Je me suis levé et je suis venu danser avec toi et tu as bien été obligé de danser.
J'ai versé une cruche de vin sur tes épaules et j'ai fait mine de ne pas m'apercevoir que tu n'avais ni hanches, ni seins, mais les mains larges d'un homme.
Toutes les furies maintenant nous entourent, toi et moi, Penthée, et je sens la chaleur du grand bûcher sur ma joue.
J'ai fait mine de ne rien voir et tu n'as rien dit mais la peur t'avait saisi et tu tremblais.
Peur africaine
Des ciels d'étoiles
Lorsque les étincelles du brasier montent dans le vent
Et dessinent, en l'air, la silhouette des morts.
Je t'ai pris, Penthée.

Comme un sauvage.
J'ai pénétré ton corps serré
Et je sentais que la peur te tenait
Et que là encore tu n'osais rien dire pour ne pas trahir ton travestissement.
Lorsque j'ai joui dans ton cul de putain fardée,
D'un petit geste de la main,
J'ai fait signe à mes furies qu'elles pouvaient te tuer.
Toutes ces furieuses se sont jetées sur toi comme un essaim d'abeilles.
Elles aussi, depuis longtemps, avaient senti le mâle et attendaient mon signal.
Elles se sont jetées sur toi
Toutes griffes dehors.
Elles t'ont lacéré la peau
Crevé les yeux
Et coupé le sexe que tu cachais, cochon, sous tes drapés femelles.
Corps lacéré
Corps déchiqueté
Elles t'ont démembré, Penthée, de leurs mille ongles tranchants
Et elles ont dansé pieds nus dans tes viscères.
L'air avait encore le goût fade et tenace de ta sueur mais ton corps était épars.
Des morceaux ont été jetés au bûcher dans un grésillement suffocant.
D'autres gisent encore là, tout maculés de poussière et de vin, méconnaissables et sanglants.
J'ai joui plus de vingt fois cette nuit-là
Et dans vingt femmes différentes.

Pour sceller cette nuit incomparable, j'ai fait pousser
sur cette colline nocturne des pieds de vignes sauvages.
Ils ont poussé maintenant et leurs troncs doivent
être plus larges qu'un bras d'homme.
On m'a dit que le vin qu'ils donnent est acide.
Je ne m'en étonne pas, les plantes se sont nourries
de ton sang et de ta sueur.
Il y a dans ces raisins du Nil
Quelque chose d'un vin carnivore.

Nouveau meurtre, nouvelle fuite.
Après l'assassinat de Penthée, le pays fut en révolution.
On m'accusa de tous les maux.
Le Nil débordait et inondait les champs et les vil-
lages, on dit que c'était la malédiction d'Onysos.
Les sauterelles rongeaient ce qu'il restait de récolte,
on cria qu'il fallait à tout prix me chasser.
Les peuples se liguèrent.
Plus de dix armées improvisées furent lancées,
Toutes à ma poursuite.
Je cours, sans souffler, sans me retourner, sans pen-
ser à ces hordes de gens en armes derrière moi,
Je cours en toute hâte, sous le soleil.
J'ai quitté l'Egypte.
J'ai traversé le pays des Moabites, à l'est de la mer
Morte.
J'ai vu sur ma gauche, dans ma course, la forteresse
de Massada, en plein désert de roche et j'ai pensé
que si j'avais eu le temps, je serais venu ici avec
mes furies et que personne n'aurait pu nous délo-
ger de notre place forte de misère.

J'ai couru jusqu'au mont Nébo,
Laissant derrière moi une grande traînée de poussière qui assura mes ennemis de ma fuite.
J'ai couru au-delà du mont Nébo jusqu'à Jéricho
Mais il n'était pas encore temps de m'arrêter.
J'ai couru jusqu'à atteindre les monts Gelboé, puis le mont Thabor.
Et c'est là seulement, arrivé en Galilée, c'est là, sur les hauteurs fraîches du mont Thabor, que je me suis arrêté, que j'ai repris mon souffle et que je me suis retourné pour mesurer la distance parcourue.
Les bords du Nil étaient perdus,
Je ne voyais plus les murailles d'Akhetaton, ni même celles de Massada.
J'avais fui,
Et je sais aujourd'hui que mes heures les plus heureuses sont restées là-bas, embourbées comme un tronc d'arbre sec dans la tourbe limoneuse du grand fleuve jaune.

CHANT V

Je vois que ton attention se fait plus précise et que tu me fixes maintenant avec de petites pupilles d'aigle. Est-ce parce que tu viens juste de constater combien mon visage a changé, et combien il est plus ferme et plus jeune que lorsque nous avons commencé à parler ?

Je t'avais dit – et j'avais bien vu alors que tu ne me croyais pas – que parler me ferait rajeunir, et que si tu me laissais finir mon long récit, mon corps serait à la fin plus vigoureux que le tien, si bien que quand nous nous lèverions pour nous séparer, tu serais vieux – car le temps tandis que je parle continue sur toi son travail de termite – et je serai indestructible.

Je ne suis pas resté longtemps dans la fraîcheur du mont Thabor.

Quelques nuits à peine.

J'ai chassé car je n'avais pas mangé depuis cette nuit où nous avions démembré Penthée.

Mais la société des hommes me manquait.

Et je partis pour Akko.

J'accepte de raconter la rencontre d'Akko.

J'accepte parce que jusqu'à présent j'ai tout raconté et que taire cet épisode serait mentir

Mais fais bien attention à être respectueux de chacune de mes paroles

Ou je te tuerai aussi sûrement que j'ai tué Penthée.

Akko était riche et opulente.

Le commerce avec les Phéniciens était prospère et le port jamais ne désemplissait de navires lourds de tissu, de céréales et de bétail.

Le roi d'Akko se nommait Marador et sa fille Séléna.

Je n'avais jamais pensé qu'il me serait donné de connaître l'emprise d'une femme sur mes sens,

Que cette force avec laquelle je faisais se cambrer mes furies pourrait un jour se retourner contre moi et que je geindrais à mon tour comme un homme blessé au ventre dans la boue d'un faubourg.

Je dois être un fort mauvais dieu qui saigne et hurle comme les hommes.

Je dois être un fort mauvais dieu qui bande et rit comme les hommes.

J'ai tout fait pour qu'elle soit ma femme.

J'ai saccagé les faubourgs de la ville, créant dans ce lacis de ruelles un tel trouble que les soldats du roi ont dû venir y mettre de l'ordre,

me laissant ainsi atteindre le palais.

J'ai fait pousser une vigne vierge qui a tapissé les murs des appartements de Séléna et il m'a été possible de rentrer dans sa chambre par la fenêtre.

J'ai tué des hommes qui me gênaient.

J'ai fait en sorte que les femmes d'Akko connaissent la fièvre d'Onysos et qu'elles se réunissent toutes, au beau milieu de la nuit, sur les places et les avenues, se masturbant avec des branches de myrte.

J'ai mis la ville sens dessus dessous pour que personne ne m'importune.

Et chaque nuit, lorsque je voulais pénétrer dans la chambre onctueuse de Séléna et avoir la nuit à moi pour la faire jouir de mille évanouissements, je mettais le feu à une aile du palais, les cuisines ou les appartements de Marador, pour qu'aucun ne songe à venir nous déranger.

Séléna ne disait rien.

Elle veillait sur mon corps comme une nourrice sur le nouveau-né qui lui tête le sein.

Et nous faisions l'amour, alors que partout autour de nous les hommes se battaient contre les crépitements inattendus d'un nouvel incendie.

Et les cris affolés des esclaves, éveillés en pleine nuit par des lueurs suspectes, couvraient nos hurlements, scandés par la vigueur des muscles.

J'accepte ta voix, Séléna, comme seule musique pour me faire danser.

J'accepte tes deux seins comme seules vagues pour me faire chavirer.

Encore aujourd'hui où je suis un vieillard perdu sur le quai d'un métro new-yorkais,

Encore aujourd'hui, je ferme les yeux et ton corps surgit dans ma cécité.

Je me souviens de chacune de nos cambrures,

De chaque murmure de ta chair

Et je donnerai la vigne et mon thyrse, je donnerai mon magnétisme et les souvenirs d'Egypte,

Pour connaître encore

La syncope mouillée
De nos décharges simultanées.
J'ai passé trop peu de nuits
Là, au creux de tes cuisses,
Dans l'immensité feuillue de ton vagin.
J'ai sué de trop peu de secousses
Et vu trop peu tes lèvres frémir.

Marador, effrayé par les hoquets que connaissait sa cité, consulta un devin.
On lui dit que chaque nuit, une bête immonde,
Mi-homme, mi-bouc,
Une bête à cornes qui puait le vin et la crasse,
Montait sa fille
Et que de ces accouplements contre nature naîtrait un scarabée visqueux, quelque blatte géante qui ruinerait le pays.
Ils nous tendirent un piège.
Marador et les trois frères se mirent en embuscade et ils interrompirent nos étreintes en pleine nuit.
J'ai essayé de me débattre
Mais j'étais nu.
J'ai essayé de griffer et de mordre, mais ils étaient en armes, couverts de plaques de cuir et je n'ai pu entamer leur chair.
Séléna, j'ai vu ton père te saisir par les cheveux
Et d'un geste sec et coupant
Ouvrir ta gorge à mes yeux.
Il a préféré te tuer, Séléna, plutôt que de t'entendre hurler mon nom.
Et le sang sombre a lentement empli les plis du lit.

Rage de l'homme et rage du bouc.

Dans une dernière nausée musculaire, j'ai arraché le bras qui me tenait à terre et j'ai bondi à travers la fenêtre.

Chassé de cette nuit mauvaise par des milliers de torches que le roi avait ordonné d'allumer dans toute la ville,

Je cours à nouveau et je suis un chien, Séléna.

Un chien qui boite et bave de rage sur la route cabossée d'Akko.

Je fuis dans les collines, comme un gros insecte rampant.

Je maudis ces hommes et leurs bras de tueur,

Je maudis cette ville et j'en ferai ma Carthage.

Marador avait vaincu mais sa morgue n'était pas encore étanchée.

Il a fait des funérailles à Séléna.

L'enfant de porc,

Fruit blet d'une putain et d'un chien bâtard.

Il a organisé dans toute la ville deux jours de deuil pour pleurer la perte de sa fille chérie.

J'ai su que l'occasion de ma vengeance m'était offerte et je suis revenu, travesti en vieille femme.

Je suis revenu et je me suis mêlé à la foule des badauds qui se pressaient autour du cortège funèbre.

Ils étaient tous là, le souverain aux mains de sang et les trois frères, tous là, avec, à leur suite, les hommes d'Akko dans leurs habits d'apparat.

Je me suis concentré, jusqu'à réunir toutes mes forces d'homme et de dieu

Et de toutes ces forces, j'ai fait monter dans le corps des femmes une sève furieuse.

En un éclair, toutes les femmes qui étaient dans le cortège sont sorties du rang et toutes celles qui étaient dans la foule se sont précipitées vers la lente troupe respectueuse.

J'ai hurlé d'un long cri blessé pour que Marador sache que j'étais là.

Des milliers et des milliers d'ongles sont venus lacérer les flancs des hommes du cortège.

Une foule de furies, comme une lame de fond, a englouti la procession.

Cercueil,

Hommes,

Chevaux

Et gardes

Tous ont disparu dans la marée incontrôlable.

La femme égorgeait son époux,

La maîtresse griffait l'amant.

Aux cris de surprise du roi et des siens a répondu l'immense cri de rage, libéré par mon armée ébouriffée.

Il n'est pas impossible que Séléna elle-même, à cet appel, se soit levée et se soit jetée sur son père, agrippée à lui par ses jambes et ses bras, comme un insecte, lui dévorant le nez et le visage de sa bouche affamée de morte.

Je ne suis pas resté.

J'ai vu Marador et ses trois fils périr dans cette nuée furieuse et cela suffisait.

J'ai marché jusqu'au port, laissant derrière moi les cris étouffés de la bagarre.

Le cercueil de Séléna avait chaviré et j'ai vu, une dernière fois, son visage livide me sourire pour cette vengeance sanglante.

Akko a dû se réveiller quelques heures plus tard, et mes femmes ont dû revenir à elles, tout étonnées d'avoir la bouche pleine de sang.
La route du cimetière devait être un tas de chair indistinct.
Je ne sais pas s'il y eut des rescapés, mais ils ont dû passer plusieurs semaines à enterrer leurs morts.
A moins qu'ils n'aient décidé de quitter simplement cette ville maudite
Et qu'ils n'aient mis le feu aux murailles d'enceinte, faisant de cette opulente ville le plus grand bûcher de la Méditerranée.
J'ai marché jusqu'au port.
Je suis monté sur une barque
Et j'ai quitté la terre de Séléna.

CHANT VI

Regarde cet homme sur le quai d'en face.
Regarde-le, il est là depuis des heures
Et ses yeux sont vitreux.
Il sue alors qu'il ne fait pas chaud.
Il claque des dents malgré cet imperméable dans
lequel il a emmitouflé son corps.
Il est tout entier dans l'attente de ce qui le délivrera
de sa fièvre.
Regarde-le maintenant.
Un homme est passé qu'il a payé, un homme qui
n'est pas son ami car il ne l'a pas salué.
Il l'a juste payé et l'autre lui a mis au fond de la main
ce qu'il attendait depuis toute la journée.
Il est soulagé maintenant.
Ses yeux se sont enflammés et il sourit bêtement.
Il se pique le bras sans se soucier des gens qui pas-
sent.
Il se pique les veines et injecte en lui cette liqueur
qui le fait grimacer de plaisir
Et lui révulse les yeux.
Syncope artificielle.
Une sève chaude emplit son vieux corps sec,
Une sève qui le consume et le vide.

C'est une ombre affamée,
Secouée de spasmes et de tremblements,
Il est mort mais jouit encore.
Regarde cet homme.
Si j'avais eu comme lui la possibilité d'acheter ce qu'il achète,
Si j'avais pu comme lui me brûler la cervelle par les veines,
J'aurais pris moi aussi cette liqueur et je me la serais plantée au creux du bras.
Mais j'étais seul sur une barque,
Calciné par le deuil.

C'est sur cette barque que j'ai commencé à veillir.
C'est sur cette barque que mon visage a connu ses premières fatigues.
Et si je rajeunis maintenant, au fur et à mesure que je te parle, s'il est vrai que lorsque j'aurai fini mon histoire mes mains ne trembleront plus,
S'il est vrai que ma tête déjà a cessé de dodeliner,
Je sais bien que ces premières rides,
Nées lorsque Akko brûlait,
Jamais ne disparaîtront.
Je dois être un fort mauvais dieu qui chavire et se ride.

Je ne me souviens plus si j'ai ramé ou si j'ai dérivé.
Je ne me souviens plus si mon corps a eu cette force, encore, de lutter contre la mer.
J'ai vu l'île de Chypre se dresser devant moi

Et je n'ai pas voulu y aborder, de toutes mes forces je n'ai pas voulu car ç'aurait été comme de plonger un homme en feu dans une mer d'essence.

Alors il est bien possible que j'aie ramé pour éviter Chypre et ses musiques voluptueuses.

J'ai dérivé longtemps,

Longtemps, jusqu'à, un jour, atteindre l'œil du cyclone,

Le grand tremblement de terre de la Méditerranée,

La cité d'Ilion.

Je suis arrivé sur les côtes troyennes en pleine nuit.

J'avais entendu parler de cette guerre de rage et de fureur

Car tout le monde savait – de Babylone à Napata, de Jéricho à Akko – tout le monde savait qu'à Troie des hommes mouraient depuis dix ans.

Je suis arrivé de nuit et j'ai abandonné ma barque.

J'ai longuement regardé les remparts d'Ilion, dans l'obscurité, et je ne savais toujours pas si j'allais les défendre ou tenter de les mettre à bas.

Mais la décision était née en moi de prendre part à ce combat,

De choisir un camp

Et de m'y tenir,

De subir le sort de ceux que je choisirais comme compagnons.

J'ai choisi Ilion.

Peut-être parce que depuis toujours je préfère l'humilié à l'arrogant,

Peut-être tout simplement parce que je voulais mourir et qu'il n'y avait pas meilleur endroit qu'Ilion pour cela.

Je me suis glissé au travers des tentes du campement achéen.

C'était une véritable ville de toile, avec du bétail, des filles de joie, des rues, des petites places et des champs, même, parfois.

Un campement de plus de neuf ans.

Je me suis faufilé à travers toutes ces baraques jusqu'à être au pied des murailles.

Et pour les franchir, j'ai fait pousser à nouveau ma vigne vierge qui me sert d'échelle nocturne.

Une fois au sein du camp troyen, je me suis fait connaître.

Je n'avais plus de raison de rester dans l'ombre.

On me mena à Priam.

J'ai vu le sacré vieillard, plus courbé et noueux qu'un olivier nourri de rocaille,

Et j'ai vu sa femme.

Hécube la ridée,

Hécube, veuve d'un peuple.

Et je n'oublierai jamais la tristesse altière de cette femme,

Sans apprêt ni bijoux

Mais lumineuse.

Elle m'a regardé longuement, puis elle est descendue de son trône et m'a serré dans ses bras de vieille femme.

Elle pleurait doucement.

Elle m'a dit qu'elle pleurait sur ma peine, car, ajouta-t-elle, un homme qui choisissait ainsi le camp des vaincus devait avoir au fond du ventre une peine immense.

Hécube l'épuisée, superbe.

J'ai vu Hector et ses frères.

J'ai vu Cassandre et Andromaque.

Je les ai tous regardés longuement, sans rien dire, et j'ai su que tous ceux-là allaient mourir et même de quelle mort chacun d'eux périrait.

Priam le vieux m'a annoncé que l'assaut des Achéens était pour demain.

Plusieurs de leurs guetteurs les avaient prévenus, quelques heures avant que je n'arrive, d'immenses préparatifs dans le camp ennemi.

Ils avaient même compté les hommes et les machines et ils savaient maintenant avec certitude qu'ils ne pourraient pas faire face cette fois.

Cet assaut-là serait le dernier.

Ils étaient exsangues.

Mais aucun d'eux ne voulait se soustraire au combat.

Neuf ans de guerre

Et la défaite au bout.

Priam ajouta que demain serait un jour de mort et qu'il fallait jouir de cette dernière nuit.

Il demanda à ce que l'on rende hommage à l'hôte que j'étais.

On décida une fête dans le palais de Priam.

Hécube et ses filles chantèrent,

Et nous bûmes le doux alcool de l'oubli.

Mais j'avais envie à mon tour d'offrir à ces hommes admirables un gage de mon admiration.

Je me suis levé au milieu des convives et, d'un geste de la main, j'ai fait cesser la musique et les chants.

Je me suis mis bien au centre de la pièce pour que chacun puisse me voir et m'entendre,

Et j'ai joué.

Je n'avais jamais fait cela auparavant.

Je ne sais même pas d'où l'idée a pu naître en moi.

Je crois que c'est en contemplant le vieux visage d'Hécube que j'ai su ce qu'était le théâtre.

Au milieu des Troyens j'ai joué tour à tour

Hécube la mère meurtrie,

Hector traîné dans la poussière,

Cassandre enchaînée,

J'ai joué pour eux et j'ai fait tous les rôles.

Et tous ainsi ont pu savoir quelle serait leur mort de demain.

Aucun d'eux n'a douté que ce que je jouais ce soir ne se réaliserait demain.

Les Troyens ont découvert le théâtre.

La veille de leur mort, j'ai joué la chute de Troie et le massacre incendiaire des Achéens.

Tous pleuraient.

Mais les larmes de cette nuit avaient la douce saveur du soulagement.

Et celui qui pleurait, pleurait pour sa femme, son père ou son frère.

Celui dont je mimais la souffrance disait aux siens de ne pas pleurer.

Tandis que les Achéens s'échauffaient au-dehors, les Troyens pleuraient cette dernière présence commune,

Cette dernière nuit avant les coups sur le corps et les pleurs dans le sable.

C'était comme d'apprivoiser la mort et de partager une dernière fois la douce quiétude d'être ensemble.

Et puis le matin est venu.

Chacun était prêt.

J'avais moi aussi recouvert mon corps d'une armure de cuir et pris les armes.

Les hurlements barbares des Achéens montèrent du campement et envahirent le ciel encore rouge de la nuit.

Ils étaient innombrables.

Une vague immense de pics et d'épées.

Une armée infinie de guerriers assoiffés.

Le combat dura tant que vécut un Troyen.

Les feux partout éclairaient les visages de lueurs démentes

Et on ne savait plus qui était allié ou ennemi.

Aux cris des combattants s'ajoutaient les hurlements de nos femmes qui pleuraient les guerriers tombés.

Et les cris guerriers sont devenus de moins en moins nombreux, de moins en moins nourris, car les hommes tombaient et ne se renouvelaient pas,

Tandis que les pleurs des femmes ne cessaient de croître et de gonfler, car à chaque minute il y avait de nouveaux corps à pleurer.

J'ai lutté moi aussi.

Corps transpercés par une lance,

Sectionnés par le glaive,

Percés par une flèche,

Brûlés par les flammes,

Ecrasés sous les murailles effondrées.

J'ai lutté moi aussi mais il y avait trop d'ennemis pour mes coups.

Les Achéens avançaient sans cesse

Et Ilion tombait.

Aucun des nôtres n'eut peur.
Juste la douleur de ne pas mourir seul.
Et moi aussi je pleurais en me battant, je pleurais de voir autour de moi le sol jonché des corps de ceux que j'aimais.
Mais les Achéens avançaient sans cesse
Et nous sommes morts.

Le jour se lève, et les gens, déversés par vagues successives, vont affluer de nouveau.

Tout New York va s'ébruiter de mille petits étirements.

Des milliers et des milliers de réveils – horloges, radios-réveils, sonneries d'écoles ou réveils téléphoniques – vont sonner l'heure du branle-bas de combat

Et toi aussi, camarade, tu vas te lever, quitter ce quai sale et te fondre dans la foule du jour.

Car il faut bien manger, n'est-ce pas ?

Les premières odeurs de friture emplissent les restaurants.

Dans les cafés, derrière les comptoirs, les machines, comme des dragons d'acier, expulsent des nuages de vapeur brûlante.

Café, thé, breakfast,

New York se frotte les yeux et se secoue l'arête dorsale comme un cachalot d'asphalte et de verre qui s'ébroue avant la première plongée.

Nous avons parlé toute une nuit, camarade.

Et quand bien même nous voudrions continuer, nous ne le pourrions pas, car le bruit des rames et celui des milliers de pas, qui toutes les quatre ou cinq

minutes viendront fouler le quai dans un vacarme de manifestation, couvriraient nos voix et rendraient notre échange impossible.
Je vais me lever aussi.

Mes jambes ne tremblent plus sous mon propre poids.
Les mille petites rides qui couvraient ma peau ont disparu.
Il reste encore les grandes rides d'Akko,
Isthmes de tristesse
Qui découpent mon visage en plusieurs continents.
Je vais me taire bientôt
Car je ne veux pas rajeunir au-delà.
Mais garder toujours,
Sur le visage,
Le souvenir tailladé de Séléna.

Regarde New York, regarde tous ces visages.
Les émigrés ont faim, grelottent de froid et de frustration.
Je vais me fondre dans cette ville que j'aime
Parce que New York a été construite pour moi.
Je vais me mêler à tous ces nègres et ces négresses, tous ces parias que la ville essaie de cacher sans y parvenir,
Parce que j'ai en haine ces petits Blancs qui se blotissent bourgeoisement les uns contre les autres dans des quartiers où les avenues sont propres et ombragées.

J'ai moi aussi la peau d'ébène.

J'ai vu dans les quartiers noirs la beauté svelte des femmes

Et j'ai su immédiatement que c'étaient là mes femmes.

Si tu en croises une, un jour, camarade, si elle t'invite à la suivre et à lui faire l'amour, accepte sa fièvre et honore-la,

Tu murmureras mon nom dans ses cheveux, vos corps se consumeront

Et elle t'apprendra ce qu'est le suc musqué de la vie.

Je pourrais te dire que je n'ai jamais été aussi fort qu'aujourd'hui, que mes compagnons n'ont jamais été aussi nombreux.

Il suffirait que je le veuille pour que nos danses barbares reprennent, pour que les ghettos s'enflamment comme s'enflammèrent autrefois les rues de Babylone.

Je pourrais te dire que je suis aujourd'hui le plus puissant des dieux et cela est vrai car mes hommes se comptent par millions.

Je pourrais te dire que je suis Onysos et que j'ai le pouvoir de magnétiser toutes ces femmes à nouveau,

Pour que la nuit ne soit plus ce qu'elle est :

Un œil mort,

La bouche éteinte d'un moribond.

Pour que la nuit grouille et crépite,

Qu'on ne passe plus dans les rues sans entendre, de chaque fenêtre, de chaque chambre, des cris secoués de jouissance.

Le vagin des femmes pourrait couler à nouveau.
Océan de foutre, de larme et de vin.
Je pourrais,
Mais le monde m'a oublié.
Qu'il ne pense pas m'avoir battu, car aucune bataille
n'a été livrée.
Le monde m'a oublié, peu m'importe.
Je choisirai le jour où me rappeler à sa mémoire.
Ce sera mon triomphe et les tours colosses de New
York se cabreront sous la puissance de mon rire.

En attendant ce jour, de ces hommes et de ces femmes qui n'ont rien et ne sont rien, je suis le témoin.
Onysos est celui qui les aime.
Je n'ai ni or ni repos à leur offrir, juste le partage
du regard émigré.
J'embrasse cette foule de parias et je connaîtrai bientôt le visage de chacun d'entre eux.
Et lorsqu'un des miens crèvera — comme ils crèvent
tous depuis des milliers d'années : sans personne
pour leur fermer la bouche, avec comme dernière
odeur sur les vêtements et sur la peau la puanteur
tenace de la rue —
Je me pencherai sur lui avant qu'il ne meure, je pro-
noncerai son nom à voix basse et je lui dirai qu'Onysos est là, qui le connaît, et le voit disparaître.

LE TIGRE BLEU DE L'EUPHRATE

pour Alexandra, toujours

LE TIGRE BLEU DE L'EUPHRATE
de Laurent Gaudé
a été créée en janvier 2005
au Théâtre national du Luxembourg
et au Festival de Liège

Mise en scène : Mohamed Rouabhi
Musique : Gabriel Scotti
Lumières : Nathalie Lerat
Son : Michael Shaller
Images : Jean-François Breut

Avec
Carlo Brandt

I

Silence.

Qu'avez-vous, ainsi, à trépigner d'impatience, commentant chacun de mes gestes, auscultant les traits de mon visage dans leurs moindres détails, fouillant jusque dans mes selles pour y lire quelque présage ?

Oui, je meurs,

Oui, je serai bientôt terrassé.

Je vous le dis.

Il n'est pas besoin d'épier mes spasmes, de compter la fréquence de mes quintes de toux.

Je meurs,

Et je ne demande qu'un peu de silence.

Je vous sens,

Je vous entends parler sans cesse de l'évolution de la maladie,

Et la rumeur, qui naît toute ténue dans les draps de mon lit, croît sans cesse dans les couloirs du palais,

Elle sort bientôt par la grande porte et se répand comme un fleuve de boue dans les ruelles de la ville.

C'est une ombre énorme qui couvre le ciel de mon empire.

C'est une ombre qui dit que le roi est malade et va mourir.
Vous n'avez pas besoin de vous cacher pour parler de cela.
Je le sais mieux que personne.

Je meurs de faim, de soif et de désir.
Vous m'entendez, vous tous qui voulez connaître la nature exacte de mon mal,
Vous tous qui pariez sur le nombre de jours qu'il me reste à vivre,
Vous qui chuchotez dans les couloirs et veillez sur ma maladie avec l'attention de la nourrice sur le landau,
C'est de faim que je vais mourir.
Qui d'entre vous peut comprendre cela?

Laissez-moi.
Ne me touchez pas.
Ne m'entourez plus de vos soins.
Je ne veux sentir ni vos onguents ni vos murmures.
Quittez cette chambre.
Que plus personne n'entre.
Qu'elles sortent, les femmes dont vous voulez m'entourer,
Les servantes qui assistent mon corps malade, qui vont et viennent dans leur tunique de lin blanc, tête baissée, changeant les draps et nettoyant mon corps.
Qu'elles sortent mes trois cent soixante-cinq épouses

Que vous avez fait entrer une à une pour qu'elles me disent adieu,
Cortège interminable de lèvres charnues et de fausse compassion.
Qu'elles sortent,
Je les ai faites miennes du temps de ma splendeur.
Je voulais une femme par jour
Pour ne jamais vivre deux fois avec le même visage sous les yeux.
Mais je ne suis plus ce que j'étais.
Dites-le-leur.
Que plus personne ne vienne ici pour baiser ma main.
Que plus personne ne vienne tenter sur moi des remèdes nouveaux pour me soulager.
Qu'on scelle cette porte
Et me laisse en paix.
J'ai un invité d'exception
Et je veux être tout à lui.
Dehors.
J'en ai fini avec le monde.
Dehors,
Dehors !

Voilà.
Nous sommes seuls à présent, toi et moi.
Je regarde ton ombre qui se dessine sur le mur,
Ton ombre qui croît.
Je sais que c'est le visage du dieu d'en bas qui est là, sur le mur blanc de mon palais de marbre.
Le visage des morts dans la chaleur de l'été babylonien
Mais je ne parviens pas encore à discerner tes traits.

Je n'ai pas peur,
Tu peux grandir à ton aise,
Emplir ma chambre tout entière,
Je t'invite.
Sois mon hôte.
Approche,
Approche, je sais qui tu es.
Je vais mourir.
Ce sera bientôt ton tour de m'inviter en ton palais.
Tu me demanderas mon nom du haut de ton trône
de quartz,
Puis, sans rien dire, tu pèseras ma vie, comme tu as
pesé celle de milliards d'autres hommes avant moi,
Et cela ne durera ni plus, ni moins de temps.
Je ne veux pas, moi, être jugé à l'aune de ta balance
commune.
Je veux bien plus.
Viens,
Approche.

Tu te demandes ce que je désire
Et pourquoi je parle.
Tu te demandes comment il se fait que je te voie et
par quel miracle tu m'entends.
C'est la première fois, n'est-ce pas, que tu entends
la voix d'un homme ?
Et cela te laisse interdit.
Tu te laisses bercer par la musique de mes phrases,
Tu suis ma pensée
Et ce dialogue nouveau avec un homme t'effraie et
t'enchante à la fois.

Depuis le début des mondes, ceux qui viennent à toi sont muets.

Des ombres apeurées qui marchent tête basse.

Tu les toises du regard

Et les emportes dans les Limbes.

Jamais aucun d'eux ne prononça un mot.

Mais c'est que jamais un homme ne vint à toi.

Ce n'étaient que des cadavres,

Des corps creux dans lesquels sifflait le vent.

Aujourd'hui tu viens dans cette chambre pour me ravir comme tu as ravi tous les autres

Mais je te parle, tu m'entends

Et tu restes là, saisi d'effroi.

N'aie pas peur,

Et approche encore.

Je te vois mal.

Une forme indistincte sur les murs blancs de la chambre.

Je serai patient.

Ton visage finira par se préciser.

Regarde ce petit coffret d'or que je porte à mon cou.

C'est mon trésor le plus précieux.

Regarde, il ne contient rien d'autre que quelques feuilles de plantes séchées.

Tu vois ?

Je l'ouvre devant toi.

De fines feuilles séchées empilées les unes sur les autres.

J'en porte une à mes lèvres et je mâche doucement.

Ce sont des feuilles de mort,

Inconnues des mortels.
Je les ai gardées sur moi durant toutes ces années
en prévision de cet instant.
Je les mâche avec lenteur
Et ce goût-là n'a pas de pareil.
C'est grâce à elles que je te vois et que tu m'entends.
Ce sont les feuilles de l'entre-deux.
Je les mâche et c'est comme de n'être plus tout à
fait vivant.
Je les mâche et j'aborde maintenant ma dernière
conquête, mon dernier combat.
Alexandre est celui qui verra la mort de son vivant.
Je vais te raconter ce que je fus
Et tu boiras chacun de mes mots,
Espérant même que je ne meure pas trop vite.
Oui, Alexandre va faire pâlir le dieu des morts,
D'étonnement d'abord,
Puis de ravissement.

II

A ma naissance, à l'instant même où ma mère m'expulsait hors d'elle dans un dernier râle de chair,
Le temple d'Ephèse s'embrasa.
De hautes flammes le rongèrent sans que personne puisse expliquer cet incendie.
Oui, j'étais né
Et j'avais déjà faim.
Mais je n'étais qu'un nourrisson.
Il me fallut attendre.
Attendre que mon corps prenne forme,
Que mes muscles grandissent et se durcissent.
Attendre que passent les années.
Attendre que le plus savant des hommes m'enseigne son savoir.
Attendre que je sache réciter nos chants ancestraux,
Que je sache me battre et courir,
Reconnaître les plantes et mener les hommes au combat,
Lire sur le visage des courtisans,
Et admirer une femme.
Attendre, oui,
Et cela me semblait interminable.
La vie ne commençait toujours pas.

Alors j'ai accéléré le temps comme aucun homme
ne l'avait fait avant moi,
Dévorant les livres et les apprentissages.
Et un jour, enfin, je fus prêt.
J'avais vingt ans et de belles boucles blondes,
Vingt ans, le corps d'un guerrier et des yeux
d'amant,
Vingt ans, le savoir d'un philosophe sur un cheval
au galop.
Ma faim n'avait fait que croître.
L'écume me venait à la bouche.
C'est à vingt ans que la course commença enfin et
elle ne s'arrêta plus.
A vingt ans, j'ai levé ma première armée.
Il me fallait un ennemi à ma taille
Je regardai au-dessus de la mer, vers les côtes
d'Asie,
Et je vis Darius,
Mon ennemi,
Ma faim,
Mon désir.
Darius que je voulais sous mes mâchoires,
Sous les sabots de mon cheval.
Darius qui était infiniment plus grand que moi.

C'est à Issos que nous nous vîmes pour la pre-
mière fois.
A Issos, oui,
Et la terre, là-bas, pleure encore les morts que nous
y avons laissés.
Si Philippe m'a donné la vie,

C'est Darius qui, le premier, m'a donné la gloire.

Et j'ai fait construire là-bas, sur la plaine où nous nous battîmes, un temple qui porte cette inscription : "Ici est né Alexandre pour la seconde fois, des pleurs de Darius sur la terre d'Asie."

Le combat fut immense,

Comme une mêlée de chiens qui s'entre-dévorent dans le vacarme d'un chenil.

Nous étions si serrés dans la mêlée qu'il m'était parfois impossible de dégager mon bras pour frapper l'ennemi.

Je revois ces lances qui cherchaient à me transpercer.

J'entends à nouveau les cris de mes compagnons

Et je me souviens de la jeunesse de mon corps.

Oui, à Issos, pour la première fois, j'ai commencé à respirer comme un titan.

Et Darius a fui devant moi.

La terreur le saisit.

Un sentiment irrépressible le fit suffoquer.

Il ne s'agissait pas de victoire ou de défaite militaire. Je n'étais pas un ennemi plus chanceux ou un stratège plus fin.

Non,

Ce qu'il voyait devant lui,

C'était une éclipse.

Une éclipse totale qui s'abattait sur son royaume, son nom et sur les milliers d'années de règne de sa lignée.

Il en fut terrifié.

Il piqua son cheval,

Abandonnant son armée exsangue à nos coups furieux,

Abandonnant sa mère, sa femme et ses enfants.

Il fuit, oui, devant la fureur têtue de ma rage.

Pour la première fois, sur ce champ de bataille, nos regards s'étaient croisés et Darius, dans mes yeux, avait lu sa mort.

Je comprends aujourd'hui sa terreur.

Pour les miens, j'étais le superbe jeune homme aux lèvres fines qui faisait plier l'armée ennemie sous les sabots de sa monture,

Pour Darius, j'avais les traits d'un cadavre fou qui rit dans la mêlée et qui, sans jamais le quitter des yeux, mange le crâne des soldats ennemis avec un sourire d'assassin.

III

La bataille d'Issos était gagnée, Darius était en fuite
et l'Asie Mineure était à moi,
Mais ma position était fragile,
Et je n'avais rien fait, encore, qu'un simple coup
d'éclat.
Alors j'ai travaillé à m'aguerrir.
J'ai voulu renforcer mes positions, rassurer les
hommes qui me suivaient
Et je suis descendu sur Tyr.
Nous avons marché sur la grande ville bavarde des
Phéniciens.
Et c'était, là encore, un ennemi trop puissant pour
nos épées, mais nous avions des yeux de jeunes gens
et il n'était pas de ville, pas de royaume ni de conti-
nent que nous ne pouvions embrasser du regard.
J'ai vu enfin le cœur des Phéniciens,
L'île superbe cerclée de muraille,
La ruche d'or au milieu des eaux, d'où partaient sans
cesse des milliers de navires pour répandre, partout
sur les mers du monde, le nom de la Phénicie.

J'ai fait envoyer un messager pour demander aux Phéniciens de se rendre, car je ne voulais pas voir brûler ces centaines de milliers d'échoppes,

Je ne voulais pas que s'abatte sur les mille langues de Tyr le silence de la guerre,

Mais ils ont refusé,

Disant que pour prendre Tyr il fallait être marin et qu'aucun homme à cheval, jamais, ne leur donnerait de sommation.

Ils avaient raison dans leur folie,

Pour prendre Tyr, il fallait être marin et j'ai travaillé à le devenir.

J'ai fait construire d'immenses squelettes de bois,

De grandes coques charpentées que mes soldats ponçaient jour et nuit.

J'ai fait construire une armada.

Le siège de Tyr dura sept mois.

Et ce combat-là, rien ne m'y avait préparé,

Ni les conseils de mon père, ni les sueurs d'Issos.

Ce combat-là, j'ai dû en apprendre les règles tout seul.

J'ai ordonné à mes soldats de poser leur épée et de saisir des rochers à pleines mains.

Et sous la pluie continue des flèches phéniciennes,

Une longue colonne s'est formée,

Allant, venant,

Construisant, pas à pas, une jetée qui relierait la ville à notre appétit.

Et chaque fois qu'un homme tombait, un autre le remplaçait.

La jetée avançait doucement,

Le sang de mes hommes coulait

Mais je ne voulais pas abandonner.

Et les Phéniciens, du haut de leur muraille, ont commencé à pâlir devant ce pont de pierre et de corps qui ne cessait de s'agrandir et qui nous permettrait bientôt de nous ruer sur eux.

Je lançai également mes bateaux à l'abordage de l'île cité.

Mais la flotte des Phéniciens était innombrable,

Ils connaissaient mille manières de détruire un navire.

Ils ont tiré sur nous des traits de feu, tentant d'incendier nos navires.

Ils ont catapulté d'immenses masses rocheuses qui, plus d'une fois, ont éventré la coque des bateaux et fait disparaître les hommes dans de gros bouillons d'écume.

La nuit, ils ont envoyé des plongeurs silencieux pour sectionner les cordes des ancres,

Et lorsque l'équipage, tout à coup, découvrait que le navire s'était ébranlé, il était trop tard,

Le vent le précipitait contre la coque d'un autre

Et ils se transperçaient les uns les autres,

Emmêlant leurs cordes et leurs rames comme de gros insectes imbéciles pris dans une même toile d'araignée.

Oui, les nuits de Tyr, traversées de jets de flamme, je m'en souviendrai longtemps.

Carnage naval qui n'eut pas d'égal et qui reste dans mon esprit comme la brûlure d'un cautère sur la plaie.

Et il n'est pas une seule de mes nuits dont l'obscurité ne soit troublée par le souvenir du grand cri

d'un navire qui coule, ou de l'incendie d'une voile
qui se tord au vent comme un oiseau en flammes.
Oui, j'ai vu des hommes, dont les cheveux brûlaient
comme une torche, se jeter à l'eau.
J'ai vu des rameurs, enchaînés à leurs bancs, se
noyer avec la lenteur d'un supplice barbare.
Oui, ces nuits de feu et d'écume sont inscrites en
ma mémoire avec la beauté furieuse des cauche-
mars de fièvre.
Sept mois de combat pour qu'enfin les murs de Tyr
se lézardent.
Sept mois de strangulation pour parvenir enfin à
asphyxier le grand corps phénicien.
Puis Tyr tomba et, pour la première fois depuis
sept mois,
Aucune flèche ne siffla dans le ciel.

Je me souviens de cette femme que j'ai croisée un
jour où j'arpentais les rues en cendres de la ville.
Lorsqu'elle me reconnut, elle se détacha d'un
groupe de prisonniers
Et marcha droit sur moi.
Je crus d'abord qu'elle allait se mettre à genoux et
me demander quelque faveur
Car elle était prisonnière et avait tout perdu.
Mais la peur ne la tenait pas.
Elle marcha droit sur moi.
Je fis signe à mes gardes du corps de laisser faire
Car elle était belle, malgré la crasse de son visage.
Elle ne jeta pas même un regard à mon escorte
Ne me quittant jamais des yeux.

Et lorsqu'elle fut tout contre moi, au lieu de se blottir à mes pieds et d'implorer une grâce,

Elle se mit à frapper ma poitrine en articulant des mots que je ne comprenais pas.

Je restai interdit devant la colère de cette femme qui avait tout à perdre en venant ainsi marteler le torse de son maître.

D'un signe de la main,

D'un battement de cils,

Du bout des lèvres,

Je pouvais la tuer.

Elle le savait et, malgré cela, elle osait m'injurier.

Les coups que me donna cette femme,

Ces petits coups que je sentais à peine mais qui faisaient résonner mon armure,

Ebranlèrent mon âme davantage que les catapultes de Tyr et les milliers de morts qu'elles causèrent.

Les coups de la femme phénicienne me terrassèrent, en effet,

Mais bien plus tard,

En d'autres lieux,

Et c'est justice, finalement, que cette femme qui probablement n'oubliera jamais mon visage, cette femme pour qui je représente la mort arrogante,

Me hante à son tour.

IV

Je sais ce que tu penses.

Tu suis mon récit et tu n'y trouves que sang et vanité.

Tu te dis que je n'ai été qu'un conquérant meurtrier, Un de ces grands chefs qui soulèvent un peuple pour en massacrer un autre.

Tu te dis que les Limbes sur lesquels tu règnes sont pleins d'hommes comme cela,

Qui voulaient conquérir la gloire et brûlèrent le monde.

Oui, ce qu'ils ont été, je le fus.

J'ai soumis des peuples et incendié des villes.

J'ai mené à la mort ceux qui m'aimaient et me faisaient confiance.

Mais je n'ai pas fait que cela.

Tu te trompes.

Gagner des batailles et soumettre l'ennemi étaient des ambitions trop maigres pour moi.

Je voulais davantage.

Après Tyr, je voulus que le monde sache que je n'étais pas qu'un fléau.

Nous descendîmes en Egypte, jusqu'à atteindre le delta du grand Nil.

Et partout nous fûmes accueillis comme des dieux.

On répandait des pétales de fleurs sur notre route Pour qu'aucun caillou d'Egypte ne blesse les sabots de nos montures,

Et le sable, en effet, nous fut doux comme une caresse.

C'est sur ces terres que je choisis de jeter les fondations de ma ville,

Alexandrie.

Alexandrie, pour offrir, aux dieux à qui j'avais enlevé Tyr, une ville princière, comme un joyau d'étoffe, d'or et d'épices mêlés.

Alexandrie, qui pourrait témoigner au monde que je n'étais pas qu'un chef de guerre,

Mais aussi l'architecte d'un continent à venir.

J'ai dessiné moi-même les plans de la ville.

Un phare immense qui puisse se voir jusqu'en Crète.

La plus grande des bibliothèques.

Je voulais des milliers d'ouvrages,

Que tout ce que l'homme sait soit à l'abri de ces murs.

Un cimetière enfin,

Car je ne t'ai jamais oublié.

Je ne voulais pas d'un petit cimetière citadin où les tombes se chevauchent,

Un de ces cimetières que l'on cache et qui semblent être une prison pour cadavres.

Non.

Je savais combien d'hommes étaient morts par ma faute,

Je sais le prix que je demande.

Et l'armée d'ombres que je laisse derrière moi, à chacune de mes campagnes,
Bouche bée, bras ballants et crâne ouvert,
Je sais leur nombre
Et je leur devais plus qu'un cimetière.
Alors j'ai ordonné que l'on bâtisse la ville des morts.
Au sud d'Alexandrie,
En plein désert,
Sur une colline qui domine les flots calmes du Nil,
Une vraie ville,
Avec des murailles, de lourdes portes et de hautes tours de vigie,
Une ville qui se construisait en même temps qu'Alexandrie.
Même lacis de ruelles
Même labyrinthe de marbre,
Mais vide.
Une ville sacrée, plongée entière dans le silence de l'Egypte,
Une ville pour accueillir les milliers d'hommes, morts lors de mes batailles,
Grecs, phéniciens ou perses,
Tous cadavres.
Et tu as bien dû entendre parler de cette cité que j'ai faite pour toi
Et que nul humain ne peut approcher.

Comme j'étais à la fois l'épée et l'équerre,
Les hommes ont commencé à me vénérer.
Mais moi, dans l'obscurité de la nuit égyptienne,
J'ai commencé à m'insulter,

Déambulant dans les couloirs de mon palais en me frappant la tête contre les murs
Jusqu'à sentir à quel point cette couronne me rentrait dans les chairs et me faisait hurler.
La veuve phénicienne m'avait terrassé.
En Egypte, je me suis pris en haine
Et, pour ne pas mourir asphyxié dans mon propre crachat,
J'ai décidé de partir.
Un matin,
Je suis sorti de la ville, alors que les miens dormaient
Et, sans armes, sans escorte,
J'ai marché vers l'ouest, m'enfonçant en plein désert.
J'avais entendu parler d'un temple dans l'oasis de Siwah et c'est là que je voulais aller si mes jambes me le permettaient.
Je n'avais ni eau, ni carte.
Et j'avais accepté, il me semble, l'idée de m'effondrer dans le sable, couvert de cloques de chaleur, la langue pendante comme un vieux chien.
J'avais accepté, oui, de n'être plus qu'une carcasse décharnée qui aurait fait un peu d'ombre aux scorpions et sur laquelle les charognards du désert seraient venus s'aiguiser les dents.
Je n'aurais jamais dû arriver à Siwah.
J'étais comme une chèvre imbécile qui continue de bêler dans l'infinie solitude.
Mais les dieux ne voulurent pas de ma mort.
C'est peut-être toi, même, qui n'en as pas voulu,
Trop avide des milliers d'ombres que je ne manquerais pas de t'apporter si je continuais à vivre.

Oui, les dieux me sauvèrent.

Le second jour, tandis que j'étais à genoux, épuisé, le visage couvert de brûlures,

En plein désert, il se mit à pleuvoir.

Le sable était tellement chaud de tant de siècles de soleil, qu'un immense nuage de vapeur se forma lorsque la pluie toucha terre,

Rafraîchissant mon corps par chaque grain de sa peau.

Le troisième jour, comme j'étais perdu,

Des traces de pas apparurent devant moi, dans le sable.

C'étaient les traces d'un félin.

Un grand lion ou un tigre invisible qui marchait devant moi.

Je n'ai fait que suivre ce guide inespéré.

Alors oui, je suis arrivé à Siwah.

J'étais allé dans ce désert comme un aliéné qui cherche la blessure

Serrant sur mon visage le deuil de la Phénicienne de Tyr, comme on serre un linceul,

C'est vous qui m'avez mené jusqu'à Siwah.

C'est vous qui m'avez délivré la prophétie par la voix de la pythie :

"Tant que tu te nourriras de terre, tu seras immortel."

Alors ne me juge pas avec cette balance qui t'a servi pour juger tant d'autres hommes.

Je voulais disparaître mais tu n'as pas voulu de moi.

Je devais mourir de fatigue dans le désert de Siwah,

Comme un chien perdu,

Et personne n'aurait même retrouvé mes os pour en faire une sépulture,

Mais tes portes me sont restées fermées.

En revenant du temple, sur la route d'Alexandrie, je me suis agenouillé dans le sable et j'ai écrit :
"Ici est né pour la troisième fois Alexandre, qui voulait mourir mais que les dieux sauvèrent."
Le sable, probablement, a balayé les mots,
Mais le vent de Siwah s'en souvient.

V

La chambre est plus sombre maintenant.
Il me semble que je n'entends plus, derrière la porte,
les murmures de ceux qui attendent ma mort pour
pouvoir pleurer.
Je ne serai bientôt plus rien,
Plus même un homme
Juste le souvenir vaporeux d'une vie.
Je délire.
Je sens que je suis trempé, de la tête aux pieds, de
sueur,
Et le contact des draps les plus fins m'est un sup-
plice barbare.
Oui, je dois être bien malade.
Il faut prendre garde que les draps du lit ne prennent
pas feu.
Je ne dois pas m'agiter.
Je dois tenir.
La maladie ne me fera pas plier.
Elle me tuera, oui, je le sens, mais sans me faire
vaciller.

Je délire.
Je sens mille visions assaillir mon esprit.
Les feuilles de mort me plongent dans un vertige
d'hallucinations.
Des louves me lèchent les pieds.
Des couleuvres glissent le long de mes côtes.
Je suis en proie à la démence.
Des couleurs violentes se déversent dans mon esprit
comme une pluie d'orage bigarrée.
Seul ton visage reste trouble.
Est-ce que tu ne veux pas que je te voie?
Je sais qui tu es.
Peu importe le nom que l'on te donne,
Hadès, Outa Naphistim ou Lamashtu,
Je sais qui tu es,
Tandis que, toi, tu essaies de sonder mon âme et
n'y parviens pas.
Et tu te tiens devant ce gouffre avec peur et curiosité.
Je vais mâcher encore mes feuilles de mort,
Et même si le sol se dérobe sous mon corps,
Même si une nuée d'aigles à deux têtes fond sur moi,
Je continuerai.
Et ton visage finira bien par se dessiner – car les
feuilles dissiperont les brumes qui t'entourent
Tandis que toi, plus nous avancerons,
Plus ton trouble grandira.
Incapable de dire ce que je suis.
Homme ou bête,
Dément ou demi-dieu.
Incapable de mesurer mon âme.
Tu t'y perdras comme je m'y suis perdu moi-même
Et ce trouble, du moins, nous unira.

Inutile de chercher des yeux, dans les salles où tu entasses les âmes, une ombre à qui me comparer.
Je suis le plus grand et le plus misérable.
Ma valeur est immense et ma faute est un puits sans fond qui avalerait n'importe quel homme qui s'y pencherait.
Oui, je suis le Grec et le barbare,
Je suis le camarade et l'assassin.
Oui, j'ai aimé la poésie et les orgies.
J'ai contemplé la belle architecture d'une ville avant d'ordonner sans ciller qu'on la rase.
Oui, je suis le pillard de trois continents
Et le plus humble des hommes.

Je dois parler maintenant de ce matin à Thapsaque.
J'avais regroupé toute mon armée et nous marchions vers l'est.
A Thapsaque, sur les bords de l'Euphrate, nous avons planté notre campement.
Les hommes et les bêtes se reposaient.
Je devais trouver un moyen de franchir le vaste fleuve achéménide.
C'était le matin du sixième jour de repos.
Je me suis levé avant le soleil.
Sans réveiller personne, me faufilant en silence à travers les tentes, je suis allé retrouver Bucéphale.
Je l'ai sellé et suis parti vers les berges du fleuve.
Il faisait encore frais.
La brume de l'aurore montait de la terre, et c'était comme des nuages qui couraient à mes pieds.
Tout dormait d'un silence de rêve.

Aucun chant d'oiseau encore,

Aucun cri de bête,

Pas même le bruissement de l'eau que la brume semblait étouffer.

Je contemplais ce grand fleuve barbare, la rive ennemie, là-bas, au-delà du cours infranchissable,

Et c'est là que je le vis.

A une centaine de pas devant moi, avançant avec précaution dans les hauts roseaux du fleuve,

Un tigre bleu.

Je crus d'abord que j'étais victime d'une hallucination,

Mais il se détacha sur un terre-plein et j'eus tout loisir de l'observer.

C'était le tigre bleu de l'Euphrate,

Félin majestueux au pelage de lapis-lazuli.

Je ne pouvais le quitter des yeux.

Sa robe avait l'éclat impossible des pierres précieuses.

Je restai interdit, sans peur, mais saisi de surprise, incapable de rien faire.

C'est alors qu'il tourna la tête et me vit.

Nous nous contemplâmes ainsi, dans les brumes rampantes de l'Euphrate, silencieux et figés comme des statues perses.

Et lentement, précautionneusement, il reprit sa marche.

Je le suivis au pas.

Je pensais qu'il s'enfuirait, qu'il bondirait, mais non.

Toujours à la même allure, il s'engagea dans les eaux de l'Euphrate.

Il semblait presque m'avoir oublié.

Je le vis s'enfoncer dans le fleuve et je pensai qu'il allait y disparaître,

Que c'était là une créature des eaux,

Mais il ne s'enfonça pas, ne nagea même pas,

Il marchait calmement.

Et je compris qu'il y avait là un gué.

Je le suivis.

Nous n'étions plus qu'à une dizaine de pas l'un de l'autre.

Il ne semblait nullement effrayé.

Il se retournait parfois, comme pour vérifier que j'étais bien derrière lui.

Nous avancions ainsi et je ne pouvais détacher mes yeux de ce guide magnifique,

Bleu comme les colliers des femmes thraces,

Bleu comme les eaux profondes de la mer Egée,

Bleu comme les étoffes dans lesquelles les femmes de Cappadoce enroulent leurs nouveau-nés,

Bleu comme mon désir et l'éternité.

Je le suivis.

Il me fit traverser l'Euphrate,

Et lorsque nous arrivâmes sur l'autre rive,

Lorsque Bucéphale eut posé son dernier sabot sur la terre ferme,

Il rugit comme un titan.

Ses crocs étaient comme des couteaux d'or.

Il rugit en me fixant.

Je crus qu'il allait se ruer sur moi.

Mais ce n'est pas ce qu'il fit.

Une dernière fois il m'observa,

Et bondit à une vitesse impossible droit devant nous,

Droit vers l'est,
Disparaissant dans les fougères et les herbes.

Ce matin-là, j'ai cessé d'être un conquérant imbé-
cile,
J'ai abandonné mon sourire de vainqueur
Et mes rêves de victoires militaires.
J'ai compris que c'était déjà le tigre, sûrement, qui
m'avait guidé dans le désert de Siwah.
Pour la première fois, la terre me sembla être un
royaume à ma dimension,
Un royaume que je devais arpenter jusqu'au bout.
Le tigre bleu de l'Euphrate m'a logé au fond du
ventre une faim infinie,
Un appétit de bête que rien n'apaise.
Le désir était né en moi de foncer désormais sur l'est,
Toujours plus loin.
Rattraper Darius,
Ecouter la prophétie de Siwah,
Manger ces stades de terre qui me séparaient encore
du bout du monde.
Accepter le tigre bleu comme seul guide à ma vie.
Ne faire qu'un avec le galop de Bucéphale,
Respirer par ses naseaux
Et sentir, moi aussi, les pierres crépiter sous mes
sabots.
Ce jour-là, je sus obscurément que c'était l'Orient
qui me marquerait de son empreinte sacrée.
Je compris que j'étais un roi que rien ne rassasie
Et que cette faim qui me rongeait les sangs,
Cette faim de terre

De foule
Et de vitesse,
Rien, jamais, ne l'apaiserait jusqu'à la mort.

A mon retour, lorsque je retraversai l'Euphrate,
Les oiseaux étaient levés, la brume dissipée, et un
vacarme matinal montait des herbes baignées d'eau.
Je rejoignis le camp et ne parlai à personne du tigre
bleu de l'Euphrate,
Mais il ne m'a pas quitté.
Il n'est pas un instant, dans toutes mes campagnes
qui suivirent, où je ne pensais le voir à l'horizon.
C'est lui, depuis ce jour, c'est lui qui me guide sur
les routes étrangères.
Toujours vers l'est,
Comme un aimant.
Ce matin-là, sur la rive ouest de l'Euphrate,
Avant d'annoncer à mon armée que j'avais trouvé
un gué et qu'ils pouvaient tous se mettre en branle,
Ce matin-là, je jurai de ne jamais interrompre ma
course,
D'aller droit devant, vers l'est,
Et de ne m'arrêter que sur les rives du Gange,
Dans ce dernier pays avant le bout du monde
Où les femmes ont trois yeux
Et où les hommes s'agenouillent devant les vaches.

VI

Nous avions traversé l'Euphrate, nous traversâmes
son jumeau millénaire, le Tigre.
Il restait encore à en finir avec Darius.
C'est à Gaugamèles que nos armées s'entrechoquèrent,
Comme les têtes de deux taureaux colosses
Dont les cornes qui se cherchent et s'entrecroisent
font un bruit sourd d'armes de bois.
A Gaugamèles, oui, les morts furent nombreux.
A Gaugamèles, tout pouvait finir.
Darius savait depuis la défaite d'Issos à qui il avait
affaire.
Il savait que le jeune homme que j'étais pouvait le
faire tomber à terre, et il avait peur.
Alors il prépara sa guerre et vint en personne sur le
champ de bataille.
Oui, Gaugamèles fut le pays de notre grand affron-
tement.
La terre faillit se rompre ce jour-là, sous le poids
titanesque des éléphants de guerre de l'armée perse
qui chargeaient en barrissant de rage et que rien ne
semblait pouvoir arrêter.
Darius avait fait installer de grandes faux sur ses
chars de guerre,

Et lorsqu'ils chargeaient dans la mêlée
Ils sectionnaient les jambes de mes soldats,
Coupaient les jarrets des chevaux,
Renversaient les chars.
Toute mon armée blêmit devant ces lames de fond terrifiantes.
Et il fallut toute la force de ma voix pour réunir mes hommes et les empêcher de s'enfuir.
Les éléphants, surtout, terrifièrent mes hommes qui n'avaient jamais rien vu d'aussi puissant.
Je compris que la bataille se jouait à cet instant.
Si les rangs, de panique, se défaisaient,
Nous étions massacrés.
Je pris un arc et, d'un trait, je transperçai la gorge du cornac qui dirigeait sa monture droit sur nous.
L'homme, perché au sommet de la bête,
Tomba à terre,
Et l'éléphant, perdu, ne recevant plus aucun ordre de son cerveau humain, sentant obscurément que cette petite forme qu'il avait vue chuter et qu'il venait de disloquer sous ses pattes puissantes était son maître,
L'éléphant, de détresse, se mit à barrir et devint fou.
Il secoua sa trompe, se retourna,
Et chargea au hasard.
Plus personne ne pouvait le contrôler.
Il bloquait de toute sa fureur animale la marche de l'armée de Darius.
Mes hommes avaient vu toute la scène.
Ils comprirent ce qu'il fallait faire.
Chaque archer, maintenant, visait les hommes perchés sur leur trône de chair.

Les cornacs ne portaient pas d'armure car ils ne
pensaient pas qu'ils auraient à prendre part au com-
bat,
Et ils tombaient tous, comme des hommes que l'on
jette du haut d'une muraille.
Les mastodontes perses furent bientôt tous pris de
panique.
Ils chargeaient en désordre,
Emmêlés dans les cordes,
Traînant derrière eux, sans même s'en apercevoir, des corps disloqués, des chars renversés, des
cadavres de chevaux,
Et rien ne pouvait arrêter leur charge apeurée.
Beaucoup des fantassins perses qui marchaient en
rangs derrière eux furent écrasés,
Et la panique saisit d'un grand frisson le corps entier
de l'armée perse.
Il n'y eut que les cavaliers scythes qui ne cédèrent
pas à la panique.
Impassibles, ils contemplaient ce spectacle épouvan-
table d'une armée qui se mutile elle-même.
Ils regardaient ces hommes à moitié piétinés qui
continuaient à hurler.
Ils contemplaient le grand champ de Gaugamèles
et ils surent que Darius avait perdu.
Mais c'est à cet instant qu'ils se décidèrent à charger,
Pour qu'il ne soit pas dit que l'armée perse s'était
broyée de son propre poids,
Pour qu'il y ait un combat et que les Macédoniens
saignent à leur tour,
Pour que Gaugamèles soit à jamais, pour nous
comme pour eux,

Le souvenir de nos plus grandes douleurs.
Oui, les cavaliers cuirassés scythes chargèrent,
Soulevant sous leur sabot toute la rage du vent des steppes d'Asie centrale
Et ce fut pour nous comme un coup d'estoc porté au ventre.
De ce coup-là, nous saignons encore,
Car elles sont nombreuses les mères et les femmes qui pleurent aujourd'hui une victime des Scythes,
Qui pleurent ces milliers d'hommes qui gisaient encore dans la boue chaude de Gaugamèles lorsque nous en sommes partis,
Le crâne ouvert, le casque fendu,
Le corps disloqué sous le poids d'un cheval effondré,
Le visage horrifié et les yeux grands ouverts sur ces pays étranges qu'ils ne verront jamais.
Les cavaliers scythes se sont battus, oui,
Mais Darius, déjà, n'y croyait plus.
Et il avait raison.
Sans se retourner sur les grands Scythes qui se battaient toujours
Il piqua les flancs de son cheval et prit la fuite.
C'était la deuxième fois que Darius, devant moi, abandonnait le champ de bataille.
Je me suis lancé à sa poursuite.
Jamais la terre, sous les sabots de Bucéphale, ne défila si vite.
Je n'entendais plus que le martèlement puissant de son galop,
Mais Darius, lui, n'avait pas pris part au combat et sa monture n'était fatiguée d'aucune lutte.

Il me distança sans difficulté,
Et pour la seconde fois, dans les plaines de Méso-
potamie,
Je dus le laisser disparaître.
A mon retour sur le champ de bataille,
Tout était immobile.
Le sang, doucement, finissait de couler des morts.
Dans le grand râle de la plaine,
Ce n'étaient que chevaux éventrés,
Eléphants renversés, têtes fendues,
Perses criblés de flèches,
Grecs disloqués par la faux des chars,
Un vaste mouroir qui, sur des kilomètres, faisait
tourner les oiseaux charognards.
Tu t'en souviens, n'est-ce pas ?
Car, ce jour-là,
Une foule immense se pressa devant les lourdes
portes de ta ville de morts.
Hommes meurtris dans leur chair,
Visages affolés,
Une foule d'ombres qui formaient, quel que soit
leur camp, l'armée des vaincus.

La bataille de Gaugamèles remportée,
Il ne me restait plus qu'à descendre au sud et à
prendre Babylone,
Sans heurt ni combat,
Comme on arrache le diadème qui orne le front de
celui que l'on vient d'abattre.
Babylone, le joyau le plus précieux de Darius,
Cité de son père et des pères de son père.

Babylone qui n'en revenait pas d'ouvrir ses portes violées à un roi étranger,
A la peau blanche et aux boucles blondes.
Babylone où les femmes marchent seins nus
Et confectionnent, à l'ombre des pachydermes endormis, des huiles précieuses dont elles enduisent leurs enfants.
Babylone qui avait dormi pendant des siècles, bercée par le doux friselis des palmes que les eunuques agitent inlassablement.
Babylone que je réveillai de mon rire barbare,
Et qui se redressa tout à coup, comme une vierge qui se baigne et qui cherche désespérément un drap pour cacher sa nudité.
J'étais à Babylone
Et, pour la première fois depuis le départ d'Alexandrie,
Je descendis de cheval et je passai sur mon visage un peu d'eau pour effacer la sueur et le sang.
Oui, j'étais à Babylone,
Et les nuits d'été n'avaient pas le même goût que sous le ciel de Macédoine.
Elles étaient tantôt plus sucrées, tantôt plus épicées,
Et ce mélange de miel et de feu qu'elles versaient dans mes yeux
Avait, pour moi, le doux délice du repos.

VII

Dans le palais de Babylone, j'ai commencé à connaître Darius.
J'ai dormi dans son lit, j'ai revêtu ses tuniques d'or,
J'ai arpenté les couloirs qu'il avait arpentés avant moi,
Et le lieu, tout doucement, a fait de nous des jumeaux,
Amoureux des mêmes pierres,
De la même lumière mésopotamienne,
Jouissant du même luxe,
Buvant, dans des bains chauds parfumés d'amandes et d'ambroisie, le même lait de chamelle.
Petit à petit, j'ai compris ce qu'il était,
Et je me suis fait à son image.
J'ai commencé à l'aimer.
J'ai admiré la beauté des femmes dont il s'était entouré, le luxe des meubles et des tapis,
J'ai senti qu'il était juste dans son regard,
Et je l'ai aimé,
Comme un frère exilé.
Dans le secret de mon esprit, il était mon hôte.
Je l'invitais dans son propre palais,
Nous avions ensemble d'interminables discussions,

Je lui demandais son avis sur les modifications que j'avais faites dans Babylone,
Je l'écoutais me vanter la force de ses troupes,
Je possédais Babylone et Darius ne cessait plus de m'habiter.

A Babylone, surtout, je découvris les grandes fresques de la porte d'Ishtar.
Une succession d'animaux sacrés qui semblaient veiller sur la ville avec l'immobilité des siècles.
C'est là que je le découvris.
Au milieu des dragons, des lions et des taureaux ailés.
Comme s'il m'attendait,
Là, sur les murailles de Babylone,
Le tigre bleu de l'Euphrate.
Je tombai à genoux.
Je n'étais donc pas le seul à l'avoir vu.
D'autres, avant moi, avaient croisé l'animal sacré.
Darius, peut-être, ou un de ses aïeux.
Cyrus ou Xerxès, qui avait voulu manger la Grèce.
Cette ville honorait, depuis des siècles, le tigre de mon désir.
Elle était faite pour moi.
Je me mis à aimer ce peuple avec passion.
Connais-tu un autre homme qui aima son ennemi comme j'ai aimé Darius ?
Existe-t-il un seul de ces conquérants auxquels tu veux me comparer, qui épousa le peuple qu'il venait de vaincre ?

Un jour, un éclaireur macédonien que j'avais envoyé
à Ecbatane revint,
Haletant, tout essoufflé de poussière,
Et m'annonça que Darius, dans sa fuite, avait été
fait prisonnier,
Qu'il était l'otage de Satibarzanès, Barsaentès et
Bessos,
Trois de ses anciens satrapes qui, voyant en lui un
maître vaincu, avaient choisi d'en faire leur mon-
naie d'échange.
Darius, prisonnier de trois rats.
Darius, l'homme qui avait bâti le palais dans lequel
je vivais,
Darius, avec qui je m'entretenais chaque soir, dans
l'alcôve de mes songes,
Darius, traîné par des chaînes de campement en
campement, comme un animal de foire.
Ce fut comme si le messager avait mordu à pleines
dents dans mon cœur.
Je suffoquai de honte et de colère,
Et je compris,
Oui, je compris que cette morsure était celle du tigre
bleu de l'Euphrate,
Que sur les dalles du palais de Babylone,
Au milieu des palmeraies et de la buée des bains,
Je m'étais endormi.
Le tigre bleu était là qui me rappelait à l'ordre.
Je n'avais fait que dormir,
Je n'avais fait que jouir de la beauté des femmes
qui, pour moi, dansaient toutes les nuits dans des
draps impudiques,
Et j'avais oublié la course,

Oublié Darius, pris à la gorge par trois chiens.
J'avais oublié le martèlement des sabots au galop
et la soif de la terre.
J'avais oublié que je n'avais pas encore vu le bout
du monde.
Oui, je suis un homme,
Sujet, moi aussi, à la paresse et au plaisir.
Je suis un homme car aucun dieu n'aurait pu oublier
ainsi sa faim.
En quelques heures, à peine, je réunis mon armée,
Toute surprise, elle aussi, d'avoir à quitter la torpeur
des murailles apaisées de Babylone,
Toute honteuse, elle aussi, de s'être si longtemps re-
posée,
Et nous partîmes.
A la tête de mon armée, sur la route d'Ecbatane, je
sentis que je n'étais Alexandre qu'ainsi,
A cheval,
Que durant toutes ces journées d'oubli voluptueux,
Je n'avais été qu'un petit homme repu,
Un roi-tyran qui ne mérite que le glaive d'un com-
plot dans ses flancs.
Sur la route d'Ecbatane,
En avançant à nouveau vers l'est,
Je fus heureux,
Plus heureux que durant toutes ces nuits de douceur,
sous les palmes immenses que les esclaves agitaient
pour rafraîchir mon corps entre deux étreintes.

Ils étaient trois, les chiens puants.
Satibarzanès, Barsaentès et Bessos,

Emmenant avec eux, dans leurs royaumes barbares, mon frère babylonien.

Ils ne tardèrent pas à apprendre que j'étais à leurs trousses et ils commencèrent à trembler.

Oui, je marchais sur eux,

Renversant tout sur mon passage,

Prenant les villes, décimant les guerriers,

Pillant les champs, incendiant les places fortes.

Plus rien ne pouvait m'arrêter.

Je voulais Darius.

Je voulais la tête de ses trois geôliers.

Je voulais, bien plus encore, l'infinie possession de ces pays à venir.

Les traîtres s'organisèrent.

Ils décidèrent d'essayer de ralentir mon avancée.

Tandis que Barsaentès et Bessos continuaient toujours plus loin vers l'est, avec leur prisonnier sacré, Satibarzanès s'arrêta.

Il était arrivé sur ses terres, en Arie.

Il regroupa ses hommes dans sa capitale, Hérat, et attendit notre arrivée.

De Hérat et de Satibarzanès, nous ne fîmes qu'une bouchée.

Ce fut ensuite au tour de Barsaentès de s'arrêter et de mourir.

Nous tombâmes sur Kandahar une fin d'après-midi.

A notre charge furieuse, ils ne purent opposer que des soupirs de vaincus.

Là encore la ville ne fut pas longue à raser, ni Barsaentès à tuer.

Il ne restait que Bessos.

Mes hommes étaient épuisés.

Ils auraient aimé s'arrêter, attendre du renfort, faire paître les chevaux et prendre le temps de manger,

Mais Bessos nous manquait encore, et Darius était entre ses mains.

C'est alors que nous commençâmes la grande marche sur Samarkand,

A travers les hautes montagnes du Caucase indien,

A travers la Bactriane et la Sogdiane.

Nous ignorions tout de ces terres immenses.

Nous étions une petite colonne têtue qui fonçait dans le sillage de Bessos.

Combien des miens sont morts, entre Kaboul et Zariaspa,

Dans la traversée crochue des hautes cimes caucasiennes ?

Nous n'étions préparés ni au froid, ni aux embûches.

Des hommes, régulièrement, tombaient de leur monture,

Chutaient de tout leur poids et se déchiraient sur les rochers.

Les cols étaient introuvables.

Nos chevaux ne cessaient de se casser les pattes sur des rochers glissants.

De Kaboul à Zariaspa, je perdis un tiers de mes hommes,

Et tu as dû les voir arriver, comme des ombres gelées, immobiles, sur leurs chevaux à bout de souffle,

Le visage dur comme la glace, sans expression,

Le dos voûté de fatigue

Et les yeux gercés.

Tu as pu les compter, ces milliers d'hommes pour qui les montagnes du Caucase indien furent un tombeau à pic.

Et ils ont dû te parler de la douleur qu'il y avait à mourir là-bas, si loin de la Macédoine, si loin d'Alexandrie et de Babylone,

Et si près du but.

Bessos finit par comprendre qu'il ne parviendrait jamais à me semer,

Et il se résigna à m'affronter.

A Samarkand, il réunit tous ses fidèles, construisit d'énormes barricades de fortune et m'attendit.

Bessos, sanglier furieux qui ne sut pas se soumettre,

Bessos qui souilla la terre du sang solaire de mon frère.

Je me souviens de Samarkand,

Belle ville de lumière et de givre,

Cité solitaire, comme emmitouflée dans une peau de buffle

Dont le souffle, dans l'air froid de la Sogdiane, était une buée animale échappée de naseaux puissants.

Samarkand aux hautes murailles qui semblaient faites pour résister à l'assaut de cyclopes.

Samarkand, devant laquelle nous étions des nains.

Je me souviens de ce jour où nous fûmes au pied de la cité.

Bessos, alerté par ses gardes, vint en personne sur ses murailles voir le visage de celui qui le poursuivait depuis si longtemps.

Il m'appela et je m'approchai.

Lorsque je fus au pied des murs, il se mit à rire
Et, d'un geste, il trancha la gorge d'un homme
qui était à ses côtés, puis le poussa par-dessus la
muraille.
Je revois la lente chute inerte du corps,
Comme un paquet de tissu désarticulé.
Je revois cet aigle sans ailes heurter le sol dans un
bruit sourd de mort.
C'était Darius, la gorge tranchée, le cou brisé,
C'était Darius le Grand Roi de la porte d'Ishtar
Qui gisait là, à mes pieds, les joues creuses, les yeux
cernés de tristesse et d'ennui,
C'était Darius, le roi soleil, qui n'avait pas voulu voler.
Si je fus un monstre, ce fut ce jour-là.
Pieusement, je ramenai la dépouille de mon frère
jusque derrière mes lignes,
Mais je sentais déjà qu'une haine puissante était née
en moi que je ne pouvais faire taire.
Les murailles de Samarkand, maintenant, me sem-
blaient de paille,
Et la ville toute petite face à ma colère.
Je passai en revue mes soldats, sans leur dire un
mot, mais par mon regard je leur transmettais la
furie de mon sang.
Et lorsque enfin je sentis toute mon armée électri-
sée de haine, lorsque je sentis les chevaux impa-
tients de charger,
Alors j'abaissai mon bras et nous nous ruâmes sur
ce chien de Bessos.
Si je fus un monstre, oui, ce fut ce jour-là.
Et les hommes qui m'accompagnaient s'en sou-
viennent.

Aucun répit, aucune pitié.

Je n'étais qu'une épée et la mâchoire ensanglantée d'un tigre.

Partout je cherchais des yeux mon ennemi

Mais le rat se cachait

Et ce ne fut que lorsque les assiégés, épuisés, percés de toutes parts se rendirent,

Qu'ils nous livrèrent leur chef peureux.

Enfin, j'avais Bessos entre les mains.

De Babylone à Samarkand, des cimes caucasiennes aux rives de l'Oxus, je n'avais pensé qu'à cela.

Pour lui, le châtiment des barbares.

De mes propres mains, je lui coupai les oreilles, le nez et la langue,

Puis, alors qu'il poussait des gémissements horribles,

La bouche noyée de sang,

Mi-hurlements, mi-suppliques,

Je lui sectionnai les deux mains.

Pour qu'il ne meure pas tout de suite d'hémorragie, je fis cautériser ses plaies au fer rouge.

Une odeur de chair brûlée envahit la ville épuisée.

Bessos était là, à mes pieds,

Le visage d'un monstre, couvert de plaies,

Brandissant ses moignons au ciel,

Mais ce n'était pas tout.

Je fis atteler à son dos le corps pourri de son compère Barsaentès.

De longues cordes puissantes liaient maintenant la plaie et le squelette,

Et ce monstre à deux dos puait à la fois la chair brûlée et la charogne.

Il poussait des cris de bête inintelligibles
Et se secouait comme un singe pour essayer de faire tomber le squelette.
C'est ainsi que j'ai laissé Bessos errer dans les hautes terres de Samarkand,
Comme un mendiant maudit qui ne peut pas même supplier le passant, qui ne peut pas même tendre la main, dire sa douleur ou boire des paroles de réconfort.
Bessos, comme une boule dure de chair et de douleur, sortie de la haine de mon imagination.
Bessos qui rôde peut-être encore là-bas, dans ces terres immenses, portant toujours sur son dos le squelette inutile de son frère mort.

VIII

Maintenant, oui, je deviens fou.

La fièvre excite mes sens.

Je sens les épices de l'Inde et j'entends, lorsque je ferme les yeux, les tambours légers de Bactriane.

La fièvre libère les odeurs et les sons dont mon corps s'est imprégné durant toutes ces années de voyage.

Je brûle,

Et c'est comme si ma chair était d'encens et que ces flammes intérieures emplissaient la pièce des senteurs de ma vie.

Je suis entouré d'unijambistes à tête de chien qui me regardent fixement.

Un vieux brahmane rit devant moi.

Il n'a plus de dents.

Dans sa barbe millénaire sont agrippés de petits singes peureux.

Je suis sans force.

Je voudrais m'agenouiller devant lui,

Mais je ne peux pas.

Je concentre mes forces pour porter à mes lèvres ces dernières feuilles de mort qui m'empoisonnent peut-être.

Je veux aller jusqu'au bout.
Alexandre brûle mais ne recule pas.

Tu refuses toujours de me montrer ton visage.
Faut-il que je meure pour te voir enfin ?
Oui,
Tu ne cèdes rien.
Tu me traites comme les autres,
Les milliers d'autres hommes qui doivent attendre
de mourir avant de distinguer tes traits.
Pourtant tu écoutes mon récit.
Tu prends ce que je donne et n'offres rien en
échange.
C'est que tu me méprises.
Tu crois que je suis faible et sur le point d'abdiquer.
Tu me vois livide et chancelant.
Méfie-toi.
J'ai encore la force de donner des ordres.
Je peux ordonner qu'on immole mon armée avec
moi,
Comme le faisaient les Grands Rois de Perse,
Et l'on m'obéira.
Tremble, alors, de ce que je ferai chez toi.
Je suis Alexandre
Et je peux descendre dans ton pays de soufre avec
toute mon armée sanglée et casquée.
Je m'entourerai de la cavalerie perse
Et des archers parthes,
Je mettrai le diadème de Darius et porterai le glaive
de mon père.
Je chevaucherai le tigre bleu de l'Euphrate.

Je descendrai à toi, comme je suis descendu dans la plaine de Gaugamèles.

Tous mes camarades seront là

Et nous fondrons sur tes terres.

Oui, c'est là le dernier territoire que je veux faire mien.

Lorsque j'ordonnerai à ma cavalerie de charger,

Il n'y aura rien qui puisse nous arrêter.

Nous renverserons les urnes,

Briserons les squelettes,

Et la foule ébahie de tes morts s'enfuira de toutes parts,

Cherchant un recoin pour se cacher,

Cherchant un tunnel où nous ne puissions aller.

Oui, nous pénétrerons en Hadès comme des barbares à cheval

Et nos cris résonneront dans l'immensité stupéfiante de ton royaume,

Premiers cris entendus par les pierres d'en dessous depuis des millénaires.

Dans cette foule d'ombres, nous nous fraierons un chemin.

Les éléphants de guerre que j'emmènerai avec moi, trop gros pour le labyrinthe de ton palais,

Briseront les parois et renverseront les autels.

Oui, nous mettrons tout sens dessus dessous

Pour que la terre tremble jusque chez toi.

Que tu connaisses, toi aussi, l'angoisse de Darius.

Tu chercheras un endroit où fuir

Mais ton royaume est un terrier sans issue

Et nous t'acculerons au dernier mur.

Et si tu peux pleurer, c'est alors que tu le feras.

Car sans descendre de cheval,
Le glaive à la main,
Les cheveux en bataille,
Je renverserai ton trône sacré
Et tu comprendras la douleur de Darius qui vit un
autre que lui dormir dans sa couche royale sous le
soleil de Babylone.
Oui, je peux décider de faire de toi ma dernière con-
quête.
Pour porter tes bijoux de quartz à mon cou.
Que l'on sache qu'Alexandre a tout pris,
Qu'il règne désormais sur la terre du dessous.
Et à chaque nouveau tremblement de terre,
A chaque éruption de volcan,
Ceux qui vivent diront que c'est Alexandre, en bas,
qui élargit son royaume.

Ça y est.
Oui,
Là,
Je te vois.
Tu apparais doucement.
Là, maintenant, sous mes yeux,
Vision inouïe et sans âge.
Je vois le visage du roi des morts.
Comme tu es laid,
De la laideur sèche de l'ennui.
Comme tu es vieux,
De toute la fatigue des siècles.
Oui, je te vois.
Tu te présentes enfin à moi.

Est-ce que tu as eu peur?
Non,
Les menaces d'aucun homme ne peuvent te faire trembler.
C'est pour que je parle.
Oui, c'est cela.
Ton vieux visage de poussière frémit de curiosité.
N'aie crainte.
Je vais aller jusqu'au bout.
Je vais tout te raconter.
Malgré le feu et la soif,
J'irai jusqu'au bout.
Laisse-moi te regarder encore.
Alexandre et Hadès se sont rencontrés.
Ma gorge est sèche et mes yeux se troublent de larmes,
N'y prête pas attention et n'écoute que ma voix,
C'est elle qui te porte, elle seule qui charrie comme un fleuve puissant les souvenirs de ma vie.

IX

Nous avons quitté Samarkand et avons repris notre
route intraitable vers l'est,
Toujours vers l'est,
Toujours à la recherche du bout du monde.
Ne t'étonne pas si ma voix se casse et si mes lèvres
tremblent
C'est que j'aborde maintenant le tison de mes sou-
venirs
Et, jusqu'à ma mort, ce fer rouge brûlera ma mé-
moire.

Nous allions droit vers le Gange,
Je pensais que ce pouvait être là le fleuve frontière
de la terre et je voulais vérifier de mes propres yeux.
Nous arrivâmes sur les bords de l'Hyphase,
Petit confluent de l'Indus.
L'Hyphase ne posait aucune difficulté,
Nous avions franchi l'Euphrate et l'Oxus,
Ce fleuve-là était pour nos éléphants un torrent qu'il
leur suffisait d'enjamber.
Et pourtant, arrivée sur les bords de ce petit con-
fluent, toute mon armée s'immobilisa,

Sombre et silencieuse.

Je revins sur mes pas et contemplai le visage de mes frères.

Je compris immédiatement ce qui se passait.

Je sus l'épuisement et le désir obscur de poser pied à terre.

Je vis la détermination ferme des visages.

Même les chevaux semblaient des statues de marbre, têtues et épuisées.

Un combat allait se jouer et, dans ma soif effrénée, je ne m'y étais pas préparé.

Mais cela ne me fit pas peur.

Je passai en revue mes troupes, allant et venant devant leurs yeux stupides

Et je commençai à leur parler,

Comme je l'avais fait tant de fois, déjà, auparavant,

Mais avec plus de rage encore.

L'heure était grave

Et le Gange à portée de main.

Je parlai pendant presque une heure,

Sans cesser jamais d'aller et venir sur mon cheval, devant eux, pour que chacun me voie, pour que chacun m'entende et que le feu de mes yeux prenne dans tous les regards.

Mais au bout d'une heure

Seul le silence me répondit.

Pas un soldat n'avait bougé, pas un n'avait parlé.

Je leur demandai ce qu'ils attendaient de moi,

Aucune réponse.

S'ils voulaient s'arrêter si près du but, après Babylone, Samarkand et Sangala,

Aucune réponse.

Je leur parlai de la grande histoire que nous construisions,
De cette chevauchée mythique qui resterait à jamais dans la mémoire des hommes comme le premier sillon dans un champ vierge,
Aucune réponse.
C'est alors que je vis certains soldats s'écarter et laisser passer un homme.
Je lui demandai de se nommer.
C'était Koinos.
Je ne l'avais pas reconnu.
Il s'avança vers moi et je me souviens de chacune de ses paroles :

"Regarde mon visage, Alexandre, dit-il.
J'ai vu tes yeux se troubler lorsque je me suis avancé tout à l'heure.
Tu ne m'as pas reconnu et pourtant mes traits t'étaient familiers.
Et maintenant que tu sais que je suis Koinos, tu te demandes pourquoi tu as mis tant de temps à me reconnaître.
Je suis un des tiens depuis la première heure,
Et tu n'oublies pas tes soldats.
C'est le temps, Alexandre, le temps qui a grimé mon visage,
Le temps qui m'a apposé un masque de fatigue qui me colle à la peau et que je ne peux plus enlever.
Nous t'avons suivi partout, Alexandre.
Et là où tu nous menas, aucun autre que toi n'aurait pu nous mener.

Aujourd'hui nous sommes épuisés.

Nous avons mis tant de terres entre nous et notre Grèce natale que nul ne peut savoir si nous ne mourrons pas de vieillesse ou d'épuisement avant d'en revoir le sol.

Je pourrais te dire, Alexandre,

Que je veux revoir ma femme et mes enfants,

Revoir les miens, les embrasser, leur raconter nos prouesses et ta grandeur,

Mais ce n'est pas cela.

Ma femme est probablement mariée à un autre homme,

Mes enfants étaient si petits lorsque je suis parti

Qu'ils ne se souviendront pas de moi.

Je sais tout cela.

Je l'ai accepté depuis longtemps.

Ce que tu m'offris en échange, qui peut se vanter de l'avoir connu ?

Mais aujourd'hui, Alexandre, ce n'est pas sur ma femme ou sur mes enfants que je pleure,

C'est sur ma terre,

Sur la douceur de la Grèce,

Sur la chaleur de mes montagnes, plaquées de soleil et surplombant la mer.

Je suis vieux, Alexandre.

Il ne me reste plus longtemps à vivre,

Et c'est sur ma terre que je voudrais mourir.

Combien d'entre nous sont morts sur la route ?

Souviens-toi des noyés de Tyr.

Souviens-toi des corps écrasés sous les éléphants de Gaugamèles.

Souviens-toi des chutes dans les montagnes du Caucase

Et des hommes engloutis sous la boue de l'Indus.
Combien d'entre nous ont connu ces morts-là, sans
sépulture ni prière ?
Combien d'entre eux qui puent aujourd'hui au soleil
Ou qui ont même cessé de puer et que le vent dis-
perse pour qu'on ne sache jamais où ils sont tom-
bés ?
Je suis vieux, Alexandre.
Et même si je pars maintenant, sans perdre une
minute, je ne suis pas sûr d'arriver jusqu'en Grèce.
Ecoute-moi, Alexandre,
Je suis Koinos, je me mets à tes genoux et je te
demande une tombe en terre d'Hellène pour mon
vieux corps fatigué."

Oui, c'est ainsi que parla Koinos et je me souviens
encore de chacun de ses mots.
Tous les hommes me regardaient.
Je me mis à pleurer.
Moi qui avais franchi l'Hellespont,
Battu les Phéniciens sur la mer,
Moi qui avais su traverser l'Euphrate,
Moi qui n'avais pas fléchi sous le poids éreintant
de la mousson,
Je me noyai dans la prière de Koinos.
Alors, sous le regard ébahi de mes milliers de sol-
dats,
Je me suis prosterné devant ce vieux compagnon.
Un cri immense de joie et de soulagement souleva
l'armée.
On me bénit et me porta en triomphe.

Chacun disait qu'Alexandre était le plus sage des hommes.

Lui qui avait accepté de n'être battu que par sa propre armée.

J'ai juré à Koinos que c'est dans sa terre de Grèce qu'on l'ensevelirait,

Qu'il verrait, avant sa mort, la calme profondeur de la mer Egée.

Je lui ai juré qu'Alexandre le rendrait aux siens
Et les préparatifs commencèrent.

Nous fîmes halte encore un jour, sur les bords de l'Hyphase,

Pour que les chevaux se reposent
Et que les hommes dorment dans la joie.

A l'aurore, alors que tout le monde dormait, rêvant probablement au foyer de Thrace ou d'ailleurs,

Je me suis rendu, une dernière fois, aux bords de l'Hyphase,

Petit torrent indépassable.

J'ai espéré le tigre bleu de l'Euphrate.

Je l'ai cherché des yeux sur l'autre rive,

Je brûlais qu'il soit là

Pour m'indiquer le chemin.

Le tigre bleu de l'Euphrate, qu'en ce jour, pour la première fois depuis Babylone, j'allais cesser de suivre.

Maintenant que j'y repense, j'aurais dû, ce matin-là,

Dans le silence du campement endormi,

Franchir, seul, l'Hyphase et continuer ma route vers l'est.

J'aurais dû, car le Gange n'était plus loin et je suis sûr que le tigre bleu m'aurait guidé.

J'aurais dû abandonner là mes hommes qui seraient
revenus doucement sur leurs pas,
Et m'enfoncer, seul, dans la touffeur chaude de
l'Inde étrangère.
J'aurais dû, oui, car, depuis, je n'ai fait que mourir.

X

Les servantes se sont mises à chanter.
Tu les entends comme moi ?
Elles entonnent le chant lent du trépas.
Est-ce que je pue déjà ?
Le grand cortège endeuillé se met en branle.
C'est le temps de la dislocation qui commence.
Ils vont tous se ruer sur l'empire comme on pille
une demeure.
Mais il n'y a rien qui puisse être volé.
Je ne laisse aucun héritage.
Qui d'entre eux peut comprendre cela ?
Les trésors de Babylone,
Le faste de mon palais,
Les centaines de villes que j'ai construites et qui
portent mon nom,
Tout cela n'est rien.
Il n'y a rien que l'on puisse me prendre.
La seule chose que je pourrais donner,
La seule chose qui soit véritablement précieuse,
C'est mon appétit
Mais aucun d'entre eux n'en voudra.
Ils s'en tiendront prudemment éloignés

Car il faut être fou pour vouloir d'une faim comme celle-ci.

Les spasmes se font plus fréquents
Je sue toute l'eau de mon corps.
Il me semble que mes entrailles sont de braise
Et que je ne serai bientôt plus qu'un bout de bois calciné dans les draps blancs du lit.
Est-ce qu'Alexandre va mourir ?
Oui, c'est à ton tour de m'inviter à trinquer à ta table.
Au milieu des tiens
Dans ton royaume troglodyte où les yeux ne servent à rien,
Tu invites Alexandre
Et Alexandre va venir.

Il fait chaud maintenant
Et je ne peux plus respirer.
Tout mon esprit est en flammes.
Approche-toi.
J'ai à peine la force de parler.
Approche-toi,
J'ai une supplique à te faire.
Tu as écouté mon récit sans jamais m'interrompre,
Assouvissant, grâce à moi, une curiosité de plusieurs millénaires.
Pour la première fois une des ombres que tu avales s'est adressée à toi.
Le plaisir de l'écoute, je te l'ai offert sans compter.
J'ai brûlé mes dernières forces à tout te raconter.

C'est à mon tour de te demander quelque chose.
Je te vois sourire.
Tu crois deviner ce que je vais demander.
Ce que tous les hommes demandent.
Echapper à ta loi.
Connaître l'immortalité.
Tu te trompes.
Je n'ai pas besoin de toi pour être immortel.
Je me suis occupé de cela.
Les hommes, à jamais, se souviendront de mon nom.
Alexandre qui mourut à l'âge d'un jeune homme,
Après une vie de fièvre et de conquêtes.
Alexandre qui unifia les mondes en un seul empire,
Effaçant les frontières, mêlant le sang des peuples
et l'architecture des cités.
Alexandre qui fit rétrécir la terre sous ses pas.
Ce n'est pas cela que je veux de toi.
Ecoute-moi bien.
Alexandre se prosterne à tes pieds et te demande
simplement de l'emmener tout entier.
Qu'il ne reste rien dans cette chambre que l'odeur
de l'encens qui finit de se consumer.
Je ne veux rien laisser.
Qu'il n'y ait aucun corps à embaumer,
Aucun cadavre à exposer à la foule.
Je ne veux pas de tombeau ni de temple.
Les morts ensevelis sont prisonniers de la terre.
Ils restent là, à l'endroit où ils furent déposés.
On honore leur tombeau,
On les pille parfois.
Ne me condamne pas à l'asphyxie pour l'éternité.
Que le corps d'Alexandre soit à jamais introuvable.

Comme s'il continuait, par-delà la mort, à errer d'un point à un autre du monde.
Je veux sentir une dernière fois le souffle du tigre bleu en moi.
Partir sans rien laisser,
Et m'enfoncer plus loin qu'aucun autre dans tes terres insondables.

Tu acquiesces ?
Oui, il me semble voir ta tête se pencher doucement.
Mais je n'en suis pas sûr.
Tout se trouble à nouveau.
Il est temps de mourir,
Je le sens.
Je ne reculerai pas.
Je veux être nu,
Sans tunique ni diadème,
Avec juste, entre mes dents de mort, la pièce rouillée qui suffit à payer mon passage.
Tu sais qui je suis,
Tu me reconnaîtras dans ma nudité.
Prends pitié de moi,
Je vais mourir maintenant,
Et tu pourras à ta guise me serrer dans ta main de juge infaillible.
Je vais mourir seul
Dans ce feu qui me ronge,
Sans épée, ni cheval,
Sans ami, ni bataille,
Et je te demande d'avoir pitié de moi,
Car je suis celui qui n'a jamais pu se rassasier,

Je suis l'homme qui ne possède rien
Qu'un souvenir de conquêtes.
Je suis l'homme qui a arpenté la terre entière
Sans jamais parvenir à s'arrêter.
Je suis celui qui n'a pas osé suivre jusqu'au bout le
tigre bleu de l'Euphrate.
J'ai failli.
Je l'ai laissé disparaître au loin
Et depuis je n'ai fait qu'agoniser.
A l'instant de mourir,
Je pleure sur toutes ces terres que je n'ai pas eu le
temps de voir.
Je pleure sur le Gange lointain de mon désir.
Il ne reste plus rien.
Malgré les trésors de Babylone,
Malgré toutes ces victoires,
Je me présente à toi, nu comme au sortir de ma mère.
Pleure sur moi, sur l'homme assoiffé.
Je ne vais plus courir,
Je ne vais plus combattre,
Je serai bientôt l'une de ces millions d'ombres qui
se mêlent et s'entrecroisent dans tes souterrains
sans lumière.
Mais mon âme, longtemps encore, sera secouée du
souffle du cheval.
Pleure sur moi,
Je suis l'homme qui meurt
Et disparaît avec sa soif.

TABLE

Littérature jeunesse (album)
La Tribu de Malgoumi, Actes Sud Junior, 2008.

Beau livre
Je suis le chien Pitié (photographies d'Oan Kim), Actes Sud, 2009.

BABEL

Extrait du catalogue

Achevé d'imprimer en mars 2015 par Normandie Roto Impression à s.a.s.
à Lonrai sur papier fabriqué à partir de bois provenant de forêts gérées
durablement pour le compte d'ACTES SUD, Le Méjan, Place Nina-
Berberova, 13200 Arles.
Dépôt légal 1re édition : avril 2015.
Nº impr. : 1501166
(Imprimé en France)